PRÉPARATION
CERTIFICATION
Français Langue Étrangère
DELF-DALF

B2

Le DELF
100% réussite

Lucile Bertaux

Nicolas Frappe

Stéphanie Grindatto

Anne-Geneviève Guiot

Marina Jung

Nicolas Moreau

didier
Français Langue Étrangère

_____ Références photographiques _____

9		Danwilton/Istock
32, 34		Corina_Dragan/iStock Photo
35	m	Ümit Büyüköz/Istock
35	mc	g-stockstudio-Fotolia.com
47		Snap2Art-Fotolia.com
68, 70		Corina_Dragan/iStock Photo
71		bikeriderlondon/Shutterstock
74		michaeljung-Fotolia.com
76		Monkey Business-Fotolia.com
77		Alain Besancon-Fotolia.com
78	hd	mariesacha-Fotolia.com
78	hg	drozdenko-Fotolia.com
79		fresnel6-Fotolia.com
80		Karin & Uwe Annas-Fotolia.com
81		carballo-Fotolia.com
85		pict rider-Fotolia.com
86	bd	Yvann K-Fotolia.com
86	hd	Robert Kneschke-Fotolia.com
88		Anatolii-Fotolia.com
89		Bits and Splits-Fotolia.com
92		eyeQ-Fotolia.com
94	bd	seb hovaguimian-Fotolia.com
94	hd	lulu-Fotolia.com
95		highwaystarz-Fotolia.com
97	bd	vege-Fotolia.com

97	hd	olly-Fotolia.com
98, 100		Corina_Dragan/iStock Photo
101, 102		Piksel/Istock
104		johnwilhelm-Fotolia.com
105		BillionPhotos.com-Fotolia.com
106		Lsantilli-Fotolia.com
107		blackday-Fotolia.com
108	bd	tab62-Fotolia.com
108	hd	Picture-Factory-Fotolia.com
108	md	Creativa Images-Fotolia.com
110		Rido-Fotolia.com
112		msw-Fotolia.com
114		voren1-Fotolia.com
115		Patrizia Tilly-Fotolia.com
116		nikolae-Fotolia.com
118	bd	vencav-Fotolia.com
118	hd	sdecoret-Fotolia.com
118	mg	Romolo Tavani-Fotolia.com
120	bd	RVNW-Fotolia.com
120	hd	destina-Fotolia.com
121		drubig-photo-Fotolia.com
125		Alex Green/Ikon Images/Alamy
126		BlueOrange Studio-Fotolia.com
129		ricardoferrando-Fotolia.com
134, 136		Corina_Dragan/iStock Photo

_____ Références audio _____

14, 161 p13 Chronique « Bonjour Monsieur le Maire » presentée par Marion Calais et Pierre Vilno, « Bonjour M. Calais et P. de Vilno, Cavaillon : Le développement de la vidéo de la ville a été multiplié par sept », 4/02/2016, Europe 1 avec la participation de Monsieur Jean-Claude Bouchet, député-maire de Cavaillon

15, 162 p14 « Le retour de la dictée » par Laurence Théault, 13/10/2015, RFI

15, 162 p15 « Reportage France : Le succès du service civique » par Carlotta Morteo, 9/02/2016, RFI

16, 163 p17 « 7 millions de voisins » par Emmanuelle Bastide, « Comment mieux lutter contre le gaspillage alimentaire ? », 13/01/2016, RFI

17, 163 p19 Émission « Rue des Ecoles - Pas d'âge pour entrer au lycée » de Louise Tourret, diffusée sur France Culture, le 17/05/2015 avec Hugues Lenoir, Enseignant-chercheur à Paris-Ouest, EA 2310, Site : http://www.hugueslenoir.fr

18, 163 p20 Chronique « Europe midi » présentée par Jean-Michel Aphatie, « Le label bio est-il encore fiable ? », 24/02/2016, Europe 1

19, 164 p22 « 7 milliards de voisins : Les nouvelles manières de parler en public » par Emmanuelle Bastide, 23/03/2016, RFI

21, 164 p23 « 7 milliards de voisins : L'orientation scolaire, les parents ont-ils leur mot à dire ? » par Sandrine Mercier, 11/03/2016, RFI

21, 164 p24 « Débat du jour, L'autoédition : une révolution ? » par Anne Soetemondt, 16/03/2016, RFI

22, 164 p25 Émission « Rue des Ecoles – La France sait-elle former ses enseignants ? » de Louise Tourret, diffusée sur France Culture le 13/09/2015

23, 165 p26 « L'actualité francophone » extrait des radios francophones publiques du 14/02/2016, animée par Annette Ardisson sur France Inter

23, 165 p27 « TripAdvisor, Air BNB, la société des notes » extrait de « Un jour en France » du 17/12/2015, animée par Bruno Duvic avec l'intervention d'Angélique del Rey sur France Inter

24, 165 p28 « Reportage France : Le succès du service civique » par Carlotta Morteo, 9/02/2016, RFI

26, 165 p29 « 7 milliards de voisins, La famille à l'épreuve des écrans », par Emmanuelle Bastide, 29/12/2015, RFI

27, 166 p30 « Débat du jour, L'Internet va-t-il devenir le support unique de l'information ? », par François Bernard, 8/06/2015, RFI

28, 166 p31 « Théâtre à domicile : quel public, quels objectifs ? » extrait de « Un jour en France », 26/02/2016, animée par Bruno Duvic avec l'intervention de Georges Buisson, Maison de la culture de Bourges sur France Inter

30, 167 p32 Chronique « Savoir Être : Les stages dans le monde du travail sont-ils utiles pour les adolescents ? », Claude Halmos, 19/02/2016, France Info

31, 167 p33 « Débat du jour : Faut-il instaurer un vote obligatoire en France ? » par Anne Soetemondt, avec Jérémie Moualek, RFI

149, 171p47 « Anciela : incubateur lyonnais d'engagements citoyens », Anne-Cécile Bras, 12/06/2016 avec Martin Durignieux, RFI

151, 172p48 Chronique « Nouveau Monde : La télé 3D est-elle morte ? », Jérôme Colombain, 15 février 2016, France Info

Suite références page 8

éditions didier s'engagent pour l'environnement en réduisant l'empreinte carbone de leurs livres. Celle de cet exemplaire est de : **1 kg éq. CO$_2$** Rendez-vous sur www.editionsdidier-durable.fr

PAPIER À BASE DE FIBRES CERTIFIÉES

_____

Conception maquette intérieure et couverture : **Primo & Primo**
Mise en page : **Franck Delormeau**   atelier DES 2 ORMEAUX
Édition : **Christine Delormeau**

© Les Éditions Didier, Paris 2016 – ISBN 978-2-278-08628-3

Achevé d'imprimer en juillet 2021 par Macrolibros, Espagne - Dépôt légal 8628-10

AVANT-PROPOS

— Qu'est-ce que le DELF ?

Le DELF, diplôme d'études en langue française, est une certification officielle en français langue étrangère du ministère français de l'Éducation nationale. C'est un diplôme internationalement reconnu qui permet de valider votre niveau de français auprès d'universités ou d'écoles, d'employeurs ou d'administrations dans le monde.

Ce diplôme est valable sans limitation de durée.

— Quels sont les niveaux du DELF ?

Le DELF est constitué de 4 diplômes : Prim, scolaire et junior, Pro, tout public.

Ils correspondent aux niveaux du *Cadre européen commun de référence pour les langues* (CECRL) : DELF A1, DELF A1.1, DELF A2, DELF B1, DELF B2.

Chaque diplôme évalue les 4 compétences : compréhension et production orales, compréhension et production écrites. L'obtention de la moyenne (50 points sur 100) à l'ensemble des épreuves permet la délivrance du diplôme correspondant.

— Où passer le DELF ?

Vous pouvez passer le DELF dans près de 175 pays. Vous devez vous inscrire dans un des 1 190 centres d'examen agréés par le CIEP. Pour connaître ces centres et leurs tarifs, consultez le site du CIEP à l'adresse suivante : http://www.ciep.fr/delf-tout-public/coordonnees-centres-examen.

COMMENT SE PRÉPARER ?

Ce livre peut être utilisé en autonomie ou en classe avec un enseignant. Il est réparti en quatre compétences comme l'examen.

Nous vous proposons une démarche en 4 étapes :

▶ **Comprendre** : une double page qui présente l'épreuve par compétence, les savoir-faire, les exercices et les documents, la consigne générale et des exemples de questions/réponses.

▶ **Se préparer** : des activités pour acquérir les savoir-faire indispensables pour réussir.

▶ **S'entraîner** : des activités proches de l'examen avec des conseils méthodologiques.

▶ **Prêt pour l'examen !** mémoriser l'essentiel : vocabulaire, grammaire, conseils, etc.

Alors, prêt pour l'examen ?

SOMMAIRE

PISTE 1

Le picto 🎧 vous indique le numéro
de la piste à écouter pour faire l'activité.

S'INFORMER SUR LE DELF

_ L'examen du DELF, comment ça se passe ?

L'examen dure 2 h 30. Il y a une épreuve pour chacune des quatre compétences.
Il y a des épreuves collectives et une épreuve individuelle (production orale).

▸ Vous allez passer les 3 épreuves collectives dans l'ordre suivant :

1. La compréhension de l'oral : écouter et compléter les questionnaires

2. La compréhension des écrits : lire des documents et compléter les questionnaires

3. La production écrite : écrire deux textes courts

▸ Vous allez passer l'épreuve individuelle qui se déroulera en trois temps :

1. Préparation : après avoir tiré au sort 2 sujets, vous aurez 30 minutes pour préparer le monologue suivi

2. Le monologue suivi : présenter son point de vue à partir d'un court article

3. Le débat : défendre son point de vue en réagissant aux arguments de votre interlocuteur

Entraînez-vous dans les conditions réelles de l'examen avec deux épreuves blanches complètes (dont une DELF Pro B2) à la fin de l'ouvrage à partir de la page 138.

Retrouvez également deux épreuves blanches interactives (dont une DELF Pro B2) sur http://www.didierfle-nomade.fr.

QU'EST-CE QUE LE NIVEAU B2 ?

Le *Cadre européen commun de référence pour les langues* définit le niveau B2 comme celui d'un utilisateur indépendant. Cet utilisateur :

- Peut comprendre des conférences et des discours assez longs et même suivre une argumentation complexe si le sujet est relativement familier.
- Peut comprendre la plupart des émissions de télévision sur l'actualité et la plupart des films en langue standard.
- Peut lire des articles et des rapports sur des questions contemporaines.
- Peut communiquer avec un degré de spontanéité et d'aisance avec un locuteur natif.
- Peut développer un point de vue sur un sujet d'actualité.
- Peut écrire un essai ou un rapport en transmettant une information ou en exposant des raisons pour ou contre une opinion donnée.

DELF B2

Voici le détail des 4 compétences que vous aurez le **jour J** :

Nature des épreuves	Durée	Note sur
Compréhension de l'oral Réponse à des questionnaires de compréhension portant sur deux documents enregistrés : – exposés, conférence, discours, documentaire, émission de radio ou télévisée (2 écoutes) ; – interview, bulletin d'informations, etc. (une seule écoute) *Durée maximale des documents : 8 minutes*	30 minutes environ	.../25
Compréhension des écrits Réponse à des questionnaires de compréhension portant sur deux documents écrits : – texte à caractère informatif concernant la France ou l'espace francophone ; – texte argumentatif.	1 heure	.../25
Production écrite Prise de position personnelle argumentée (contribution à un débat, lettre formelle, article critique…).	1 heure	.../25
Production orale Présentation et défense d'un point de vue à partir d'un court document déclencheur.	20 minutes Préparation : 30 minutes	.../25
	NOTE TOTALE	**.../100**

Seuil de réussite pour obtenir le diplôme : **50/100**

Note minimale requise par épreuve : **5/25**

Durée totale des épreuves collectives : **2 heures et 30 minutes**

Pour l'évaluation des épreuves de production écrite et de production orale, l'enseignant est invité à télécharger les grilles d'évaluation expliquées sur le site des Éditions Didier www.editionsdidier.com dans la collection *Le DELF 100 % réussite.*

38 « Écoles du numérique, un avenir devant soi », Ermance Musset, *Apel Famille & Éducation* n°510, janvier-février 2016

41 b « Viens chez moi, je suis à la bibliothèque » par Lorraine Rossignol, paru dans *Télérama* du 16/01/2016 (Chapô + extraits)

41 h *Maif Magazine*, janvier 2016

42 © Ophélie Ostermann / *lefigaro.fr* / 20/01/2016

44 Guillaume Duval, n° 348, juillet 2015 © *Alternatives Économiques*

45 b « Les robots menacent-ils votre métier? », Dominique Nora, *l'Obs*, 8 avril 2015

45 h Stéphanie Goujon, *Les Echos*, le 30/12/2015

46 b Éloi Laurent et Philippe Pochet, n°352, décembre 2015 © *Alternatives Économiques*

49 « Viens chez moi, je suis à la bibliothèque » par Lorraine Rossignol, paru dans *Télérama* du 16/01/2016 (Chapô + extraits)

52 « La France s'attaque aux particules fines », Isabelle Boyavalle, *Famille & éducation*, n° 508, septembre-octobre 2015

55 *Maif Magazine*, janvier 2016

58 Nicole Vulser, *Le Monde Économie*, 4/02/2016

60 Florence Éloy, hors série n°2 bis, décembre 2015 © *Alternatives Économiques*

64 Revue Pierre-Antoine Chardel, « Surveillés et consentants » *Sciences Humaines* n° 275 - novembre 2015

66 Laurent Grosgogeat

95 © Isabelle de Foucaud / *lefigaro.fr* / 16/10/2015

104 *Les Échos*, 30/01/2016

105 Pascale Santi, *Le Monde*, 17/12/2014

110 « Les histoires d'amour ne commencent pas sur Internet, en général », Gaëlle Dupont, 10/02/2016, *Le Monde*

112 AFP

114 *20Minutes.fr*/CélineBoff/07/04/2015

116 *Pourquoidocteur*

121 « Vivre plus vieux c'est bien, le faire en bonne santé c'est mieux », le rédacteur, 13/02/2015, *Sciences et Avenir*

125 Julien Duriez, *la-croix.com*, 25/03/2016

126 *bienchezsoi.net*

129 *20Minutes.fr*/DelphineBancaud/03/02/2016

141 © Jade Grandin de l'Eprevier / *lefigaro.fr* / 29/07/2015

144 « Internet, le réseau des plus forts » par Erwan Cario, *Libération* du 14/05/2016

148b Katia Touré, *The Huffington Post*, *Le Monde*, 4/03/2016

152 « Projets interdisciplinaires : la victoire du collège Stalingrad » par Juliette Bénabent, paru dans *Télérama* du 6/12/2015

154 Nicolas Hulot, Fondation Nicolas Hulot pour la nature et l'homme

159h Adrien de Tricornot, *Le Monde*, 17/02/2016

159b « Comment la méditation peut vous aider à déconnecter des réseaux sociaux ? », *L'Obs*, 5/07/2015

Compréhension
de l'oral

COMPRENDRE

L'ÉPREUVE

La compréhension de l'oral est la première épreuve collective de l'examen du DELF B2.

Durée totale de l'épreuve	**30 minutes environ**
Nombre de points	**25 points**
Nombre d'exercices	**2 exercices**
Nombre de documents à écouter	**2 documents**
Nombre d'écoutes	**2 écoutes pour le premier document et 1 seule écoute pour le deuxième.**
Durée totale des enregistrements	**De 6 minutes 30 à 8 minutes**
Quand lire les questions ?	**Avant d'entendre les 2 documents Puis 1 minute pour lire les questions**

Objectifs des exercices

Exercice 1 **Comprendre un enregistrement authentique en langue standard (domaine éducationnel /domaine personnel)**

Exercice 2 **Comprendre une interaction entre locuteurs natifs (domaine professionnel /domaine public)**

LES SAVOIR-FAIRE

Il faut principalement être capable de :

Identifier le thème du document

▸ Quels sont les mots clés ?

Percevoir le point de vue de la locutrice

▸ Que pense la locutrice ?

Repérer des informations précises

▸ De quelles zones géographiques parle-t-on ?

Saisir la structure du discours

▸ Quels sont les connecteurs logiques ?

– Je souhaiterais commencer par la question de Lyad au sujet de l'ouverture des médiathèques le dimanche. Les piscines et les centres sportifs sont ouverts le dimanche nous affirme-t-il. Quand semblera-t-il évident que les médiathèques doivent ouvrir le dimanche ? Quelle est votre opinion à ce sujet ?

– Alors, c'est déjà une question d'actualité puisqu'il y a beaucoup de médiathèques qui ouvrent le dimanche comme par exemple à Paris. Toutefois, ça ne fait pas toujours sens partout. Quand on se trouve dans le sud et qu'il fait beau pendant la période estivale, la médiathèque n'a pas nécessairement à être ouverte le dimanche étant donné qu'il y a la concurrence de la nature et des activités en plein air. Mais il y a quand même une campagne d'information en ce moment sur l'ouverture des médiathèques le dimanche.

LES EXERCICES ET LES DOCUMENTS

	Supports possibles	Type d'exercice	Nombre de points
Exercice 1 **Comprendre un enregistrement authentique en langue standard** DOMAINE ÉDUCATIONNEL/ DOMAINE PERSONNEL	Documents authentiques de type argumentatif ou informatif Reportage, table ronde, discours, débat, conférence, exposé technique	Un questionnaire	13 points
Exercice 2 **Comprendre une interaction entre locuteurs natifs** DOMAINE PROFESSIONNEL/ DOMAINE PUBLIC)	Documents authentiques de type argumentatif ou informatif Interview, chronique, bulletin d'informations, discours, débat, exposé technique	Un questionnaire	7 points

LA CONSIGNE

La consigne générale est toujours écrite au début du questionnaire et entendue dans le document sonore. Vous la lisez et l'écoutez. Attention, pour le deuxième exercice, il n'y a qu'une seule écoute.

Sur l'épreuve, vous pouvez lire : *Pour répondre aux questions, cochez la bonne réponse ou écrivez l'information demandée.*

LES QUESTIONS ET LES RÉPONSES

Les questions se présentent sous 3 formes :

– les questions à choix multiples (QCM) : sélectionner la bonne réponse parmi les trois choix. Il n'y a qu'une seule réponse correcte.

– les questions à réponse ouverte courte (QROC) : écrire la réponse, c'est-à-dire le ou les mots attendus. Pas besoin d'écrire une phrase complète avec un sujet, un verbe et un complément.

Pour ce type de question, le correcteur ne tiendra pas compte des fautes d'orthographe mais s'intéressera uniquement au contenu de votre réponse, autrement dit, au sens.

– les questions vrai/faux + justification : dire si une affirmation est vraie ou fausse et justifier votre choix en vous référant au contenu du document sonore.

Recopier des fragments entendus ou bien les reformuler.

CONSEILS

- Repérer les mots clés et les connecteurs du document.
- Être attentif aux informations reformulées ou répétées.
- Prévoir une feuille de brouillon pour prendre des notes.
- Ne pas se laisser déstabiliser par la vitesse du débit de parole.
- Utiliser le contexte pour surmonter une difficulté de compréhension.

1 Comprendre globalement un document sonore

— Saisir le genre des documents

 PISTE 2

Activité 1

Écoutez les extraits. Identifiez le genre radiophonique et notez le numéro devant le genre de l'extrait correspondant. Vous devez ensuite justifier votre réponse.

Un reportage	N° 3	**Justification :** *La journaliste présente avec objectivité des informations qu'elle a recueillies. Nous constatons qu'il y a eu une enquête sur le sujet. Nous pouvons supposer qu'une équipe s'est déplacée pour aller interroger des Parisiens et enregistrer leur opinion.*
Un micro-trottoir	N° ...	**Justification :**
Une chronique	N° ...	**Justification :**
Une interview	N° ...	**Justification :**
Un débat	N° ...	**Justification :**
Une table ronde	N° ...	**Justification :**

▬ Identifier le domaine

PISTE
3 À 6

Activité 2

Écoutez les extraits et notez le lexique relatif au domaine (histoire, politique, sport…). Autrement dit, vous devez noter les mots qui vous permettent d'identifier la catégorie thématique de l'extrait.

Histoire	Extrait 1	**Lexique relatif à l'histoire :** *Ordonnance de Villers-Cotterêts, XVIe siècle, François Ier, roi de France, 1539.*
Politique	Extrait 2	**Lexique relatif à la politique :** ....
Sport	Extrait 3	**Lexique relatif au sport :** ....
Culture	Extrait 4	**Lexique relatif à la culture :** ....

PISTE
7 À 11

Activité 3

Écoutez les extraits et identifiez le domaine dont on parle. Notez le numéro de l'extrait devant chaque domaine et écrivez le lexique relatif au domaine.

Éducation	Extrait n°…	**Lexique relatif à l'éducation :** ....
Santé	Extrait n°…	**Lexique relatif à la santé :** ....
Consommation	Extrait n°…	**Lexique relatif à la consommation :** ....
Économie	Extrait n°…	**Lexique relatif à l'économie :** ....
Entreprise	Extrait n°…	**Lexique relatif à l'entreprise :** ....

— Dégager le thème principal

Activité 4

Écoutez cet extrait radiophonique et relevez les mots clés (Quoi ? Qui ? Où ? Quand ? Comment ? Pourquoi ?) qui se rapportent au thème, c'est-à-dire au sujet développé dans l'enregistrement. Ensuite, formulez le thème de l'extrait avec vos propres mots.

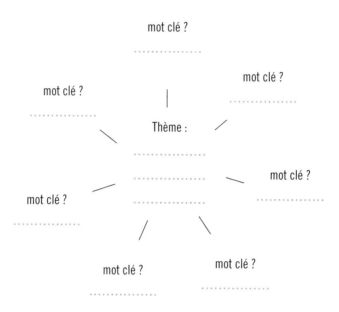

Activité 5

Écoutez le document sonore. Notez d'abord les mots clés (Quoi ? Qui ? Où ? Quand ? Comment ? Pourquoi ?) et formulez ensuite le thème de l'émission. De quoi parle-t-on exactement ?

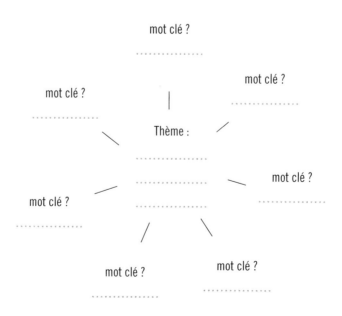

2 Saisir des informations relatives aux locuteurs

Repérer les différents locuteurs

ISTE 14

Activité 6

Écoutez l'extrait sur la place de la dictée dans le système éducatif français et identifiez les différents locuteurs.
Reliez chaque locuteur à la reformulation de son opinion.

Michelle de Neubourg, enseignante   •   • Il faut étudier du vocabulaire avant la dictée.

Claude Lelièvre, historien de l'éducation •   • Je ne crois pas au retour de la dictée à cause de son système de notation.

Ivan Amar, spécialiste de la langue française •   • La dictée est le symbole d'une école forte qui fonctionne bien.

Émilio, élève à l'école primaire •   • Les enfants doivent régulièrement s'entraîner à écrire.

Identifier la fonction des locuteurs

PISTE 15

Activité 7

Écoutez le reportage et notez dans le tableau le nom des différentes locutrices et leur fonction, c'est-à-dire leur activité professionnelle. Attention, la fonction n'est pas toujours exprimée. Dans ce cas, vous devez la supposer grâce au contexte, autrement dit grâce aux informations que vous pouvez repérer dans le discours de la locutrice.

	Prénom et/ou nom	Fonction
« Le service civique, c'est un tremplin pour les jeunes diplômés. »		
« L'intérêt du service civique, c'est de s'engager pour une cause. »		
« L'engagement est le pilier fondateur du service civique. »		
« Dans le recrutement, on prend plus en compte la motivation et la capacité d'adaptation. »		

3 Percevoir les nuances du discours

— Identifier le ton

Activité 8

Écoutez les extraits sur le thème du covoiturage et identifiez la tonalité.
Quelle est l'atmosphère générale du document ?
Expliquez pourquoi vous avez choisi cette tonalité.

Tonalité	N° de l'extrait	Justification
Ironique	Extrait n°...	
Polémique	Extrait n°...	
Didactique	Extrait n°...	

Activité 9

Écoutez l'extrait et répondez aux questions.

1 - Quel est le ton de cet extrait ?

☐ Ironique.

☐ Polémique.

☐ Didactique.

2 - Qu'est-ce qui caractérise cette tonalité ?

....
....
....

▬ Identifier les points de vue exprimés

Activité 10

Écoutez les extraits et identifiez le point de vue exprimé. Vous devez réussir à comprendre la manière dont une personne envisage une chose ou une question.

	Enthousiaste	Nuancé	Critique	Justification
Extrait n° 1				....
Extrait n° 2				....
Extrait n° 3				....

Activité 11

Écoutez l'extrait et répondez aux questions.

1 - Quel regard Hugues Lenoir porte-t-il sur la place du baccalauréat dans le système éducatif français ?

☐ Un regard neutre.

☐ Un regard critique.

☐ Un regard optimiste.

2 - Quelle phrase résume-t-elle le mieux son point de vue ?

☐ Le baccalauréat enferme les enseignements dans des limites étroites.

☐ Le baccalauréat évalue partiellement les connaissances fondamentales.

☐ Le baccalauréat empêche les lycéens de développer leur esprit critique.

3 - Parmi les mots et les structures qu'utilise Hugues Lenoir, lesquels permettent d'exprimer une opinion personnelle ? (*Deux réponses*)

☐ Je pense que…

☐ Il est vrai que…

☐ De mon point de vue…

☐ Ce qu'on peut remarquer…, c'est que…

4 - Dans quelle phrase Hugues Lenoir exprime-t-il clairement son point de vue ? Notez cette phrase.

....

....

PISTE 20

Activité 12

Écoutez l'extrait et répondez aux questions.

1 - De quels aspects des produits bio Dorothée parle-t-elle ? (*Trois réponses*)

☐ De leur coût.

☐ De leur goût.

☐ De leur origine.

☐ De leur emballage.

☐ De leur composition.

☐ De leur conservation.

2 - Quels sont les connecteurs logiques que Dorothée utilise ? (*Deux réponses*)

☐ Malgré.

☐ Pourtant.

☐ Bien que.

☐ Quand même.

3 - Quelle est la particularité de ces connecteurs logiques ?

....

....

4 - Quel est le point de vue de Dorothée sur la consommation de produits biologiques ?

☐ Très positif.

☐ Plutôt neutre.

☐ Assez nuancé.

5 - Quelle affirmation correspond à ce que pense Dorothée ?

☐ Bien que les produits bio soient riches en vitamines, il faut vite les consommer.

☐ Quoique les produits bio soient bon marché, il faut se méfier de leurs bactéries.

☐ Même si les produits bio sont bons pour la santé, il faut vérifier d'où ils viennent.

4 Prendre des notes

— Identifier les informations essentielles

Activité 13

1 - Écoutez l'enregistrement et notez les informations essentielles dans le tableau ci-dessous. Concentrez-vous sur le sens et synthétisez les idées importantes.

Prise de notes sur ordinateur :	Prise de notes à la main :

2 - Quelle est la conclusion de l'étude ?

....

....

— Saisir la logique du discours

ISTE 22

Activité 14

1 - Écoutez l'extrait et prenez des notes en vous aidant des connecteurs et des abréviations (voir page 20). Ces mots de liaison mettent en évidence la structure du discours et précisent la nature du lien logique qui existe entre deux idées.

Thème : La prise de parole en public

....

Autrement dit :

....

Or :

....

Pour autant :

....

Autrement dit :

....

Donc :

....

.... mais ....

2 - Pour vérifier votre connaissance des connecteurs utilisés dans l'extrait, reliez chaque mot à sa signification.

Autrement dit •   • Pour introduire un argument nouveau décisif.

Or •   • Pour exprimer la conséquence.

Pour autant •   • Pour exprimer l'opposition.

Donc •   • Pour reformuler une idée.

Mais •   • Pour exprimer la concession.

3 - Selon vous, quelle phrase synthétise-t-elle le mieux l'idée principale développée dans l'extrait ?

☐ Les automatismes nous permettent d'éliminer le stress.

☐ Le public perçoit bien les erreurs que vous faites à l'oral.

☐ Les intervenants doivent se préparer tout en restant vrais.

QUELQUES SYMBOLES ET ABRÉVIATIONS COURANTS

∈	appartient	avt	avant	par ♥	par cœur
↗	augmenter	bcp	beaucoup	pcq	parce que
↘	diminuer	càd	c'est-à-dire	§	paragraphe
≠	différent	ĉ	comme	qd	quand
≈	environ	ccl	conclusion	Q	-que (ex. : identiq)
=	équivalent	csq	conséquence	qq	quelques
–	moins	dc	donc	°	-ion (ex : instruct°)
+	plus	dvt	devant	Σ	somme
<	inférieur	ex.	exemple	svt	souvent
>	supérieur	impt	important	tt	tout
♀	femme	-mt	(ex. : notamt)	T	-té (ex. : faciliT)
♂	homme	ms	mais	Ø	vide

5 Expliciter les informations importantes

▬ Identifier la reformulation d'une idée

PISTE 23
Activité 15

Écoutez l'extrait et choisissez la reformulation qui est la plus fidèle aux propos d'Amadou Boye.

☐ **a -** Les parents ont une fine connaissance des intérêts et des capacités des jeunes et par conséquent leurs conseils en matière d'orientation ont davantage de valeur que ceux des professeurs, des psychologues scolaires ou de toute autre personne.

☐ **b -** Il est vrai que les parents accompagnent souvent leurs enfants qui s'interrogent sur leur avenir professionnel, toutefois ils ne s'investissent pas assez dans cette longue démarche qui représente une étape décisive pour le futur des jeunes.

☐ **c -** Bien que les parents aient un rôle à jouer dans l'orientation des jeunes et qu'ils les connaissent bien, ils doivent tenir compte de l'avis des professionnels de l'éducation et ne pas prendre une place trop importante dans cette démarche.

▬ Reformuler brièvement un discours

PISTE 24
Activité 16

Écoutez l'extrait et répondez aux questions.

1 - Selon l'invité, qu'est-ce que l'autoédition ?

☐ Un instrument utile donnant la possibilité à tout individu de publier un texte.

☐ Un outil assistant un auteur dans la conception et la publication d'une œuvre.

☐ Un dispositif aidant les éditeurs à mettre en ligne des écrits vérifiés et corrigés.

2 - Dans cet extrait, l'invité oppose l'édition à l'autoédition. Notez dans ce tableau ce qui différencie ces deux systèmes.

L'édition	L'autoédition

3 - À l'aide des informations que vous avez écrites dans le tableau, reformulez de manière synthétique l'opposition entre l'édition et l'autoédition exprimée dans l'extrait. Vous devez utiliser un connecteur logique de l'opposition.

....

....

6 Extraire des informations factuelles

▬ Repérer des dates et des sigles

Activité 17

1 - Écoutez l'enregistrement et notez les dates qui correspondent aux différentes étapes de la construction du système de formation des enseignants en France.

Événement / Action politique	Date	Événement / Action politique	Date
Création des conférences de préparation à l'agrégation	....	Création des écoles normales	....
Création du CAPES (Le certificat d'aptitude au professorat de l'enseignement du second degré)	....	Harmonisation du recrutement et de la formation des professeurs du primaire et du secondaire	....
Fermeture des IPES	....	Création des ESPE (Les écoles supérieures du professorat et de l'éducation)	....

2 - Réécoutez l'enregistrement et notez la signification des sigles, c'est-à-dire des mots composés des initiales de plusieurs mots qu'on épèle. Le mot « SNCF » (Société nationale des chemins de fer) en est un exemple.

Écrivez aussi la signification d'un acronyme, autrement dit un sigle que l'on prononce comme un mot ordinaire sans épeler. Le mot « UNESCO » en est un exemple.

Acronyme et sigle	Signification de l'acronyme ou du sigle	Acronyme et sigle	Signification de l'acronyme ou du sigle
IPES	I .... de P .... à l' E .... S	IUFM	I .... U .... F .... M ....
CPR	C .... P .... R		

— Repérer des informations précises et détaillées

STE 26

Activité 18

Écoutez l'extrait au sujet de la réforme de l'orthographe française et répondez aux questions.
Dans cette activité, vous développez votre capacité à comprendre des informations précises.

1 - Combien de mots ont été réformés ?

....

2 - Cette réforme date de quelle année ?

....

3 - Que va-t-il se passer à la prochaine rentrée ?

☐ Les élèves devront écrire leurs rédactions avec l'orthographe réformée.

☐ Les enfants auront des cours intensifs d'orthographe française à l'école.

☐ Les écoliers verront la nouvelle orthographe dans les ouvrages scolaires.

4 - Quelles sont les principales modifications ?

a - ....

Exemple : ....

b - ....

Exemple : ....

PISTE 27

Activité 19

Écoutez le document sonore et répondez aux questions.

1 - Selon la philosophe, que se passe-t-il à l'école ?

☐ On réduit l'utilisation des notes scolaires.

☐ On applique un autre système de notation.

☐ On personnalise les évaluations des élèves.

2 - Qu'est-ce qu'on cherche à évaluer aujourd'hui chez l'enfant ?

....

....

....

3 - La philosophe approuve le type d'évaluation en usage dans les écoles aujourd'hui.

☐ Vrai.

☐ Faux.

Justification :

....

....

1 Comprendre un enregistrement authentique en langue standard

 PISTE 28 **Exercice 1**

(18 points)

▸ Repérer les questions portant sur la compréhension globale, détaillée ou fine du document.

▸ Identifier les mots clés, le thème, le domaine et les locuteurs du document.

▸ Prendre des notes dès la première écoute. La prise de notes favorise l'attention, la compréhension et la mémorisation.

▸ Saisir la logique du discours à l'aide des différents connecteurs logiques.

▸ Être attentif aux idées et aux informations redondantes, c'est-à-dire répétées ou reformulées.

Lisez les questions. Écoutez une première fois l'enregistrement. Répondez aux questions. Écoutez une deuxième fois le document et complétez vos réponses.

1 - Quel est le genre du document ? (1 point)

☐ Un débat.

☑ Un reportage.

☐ Une interview.

▸ La question porte sur la compréhension globale du document. Nous supposons que la journaliste qui fait partie d'une équipe a recueilli des informations et a fait une enquête sur le terrain. Elle a dû se déplacer pour interroger des gens et enregistrer leur opinion.

2 - Quel est le thème du document ? (1 point)

....Le succès du service civique ou l'engagement des jeunes volontaires............................

▸ Il vous faut d'abord écouter tout le document et noter les mots clés. Ensuite, vous devez formuler une phrase nominale courte. Quelques mots suffisent.

3 - Quelle est l'activité des établissements qui accueillent les jeunes volontaires ? (2 points)

a. *Deux réponses attendues parmi les réponses suivantes : l'aide au développement ;*...............

b. *L'alphabétisation ; le microcrédit ; la protection de l'environnement.*...........................

▸ Il s'agit d'une question de compréhension détaillée. Soyez attentif aux informations données au début de l'extrait. Vous devez noter 2 réponses parmi 4 réponses possibles.

4 - Pourquoi Stéphanie a-t-elle décidé de s'engager comme volontaire ? (2 points)

☑ Pour acquérir des savoir-faire utiles.

☐ Pour découvrir une culture différente.

☐ Pour aider des personnes en difficulté.

▸ Dans cette question, on évalue votre capacité à comprendre les motivations d'une personne. Quel choix de réponse synthétise-t-il le mieux l'idée de Stéphanie ?

5 - Qu'est-ce qui motive le choix de Charlotte ? (*Deux éléments de réponse*) `2 points`

.....*Le fait de s'engager pour une cause et d'être utile*...

▸ Vous devez rédiger une réponse courte (de 1 à 15 mots). Pour cela, vous devez saisir l'idée que Charlotte exprime. Quels termes met-elle en valeur ? Qu'est-ce qui peut être une source de motivation chez Charlotte ?

6 - Qu'est-ce que La Guilde ? `2 points`

.....*Une ONG de solidarité internationale*...

▸ Cette question porte sur la compréhension d'une information précise et ponctuelle du document sonore. Vous devez notamment noter un sigle. Soyez attentif et relevez cette information.

7 - Quel est l'objectif des formations proposées par La Guilde ? `2 points`

☐ Apprendre d'autres méthodes de travail.

☑ Aider à s'adapter à un autre mode de vie.

☐ Concevoir un projet pour une association.

▸ Dans l'extrait, la journaliste et l'animatrice s'expriment sur la question. Essayez d'identifier les verbes utilisés par les deux locutrices. Ils vous permettront de trouver la réponse.

8 - Sur quelle notion la formatrice Brenda Coran insiste-t-elle ? `2 points`

.....*Une réponse attendue parmi les réponses suivantes : La notion d'engagement des volontaires ;*......

.....*L'engagement envers soi-même ; L'engagement altruiste ; L'engagement interculturel*...............

▸ Pour trouver la réponse, vous devez d'abord repérer la locutrice Brenda Coran dans le document. Ensuite, vous devez identifier le mot qu'elle utilise à plusieurs reprises.

9 - Que possèdent la plupart des jeunes qui postulent ? `2 points`

☑ Des diplômes spécifiques.

☐ De nombreuses références.

☐ De bonnes recommandations.

▸ Pour trouver la bonne réponse, vous devez repérer dans le document le moment où la journaliste parle du recrutement des jeunes volontaires. Il vous faut ensuite identifier et relever une information précise.

10 - À quoi Nathalie Chaverot s'intéresse-t-elle le plus chez le candidat ? `2 points`

☐ À sa carrière.

☐ À son université.

☑ À sa détermination.

▸ Cette question étant la dernière, vous trouverez la réponse à la fin de l'enregistrement. Écoutez bien les propos de la journaliste et de la chargée de recrutement.

CE QUE JE RETIENS

▸ Combien ai-je de temps pour lire les questions ?

▸ Est-ce que je réponds aux questions tout de suite ?

▸ Quelle est la particularité de la première question ?

▸ Dans quel ordre dois-je répondre aux questions ?

Exercice 2

18 points

Lisez les questions. Écoutez une première fois l'enregistrement. Puis répondez aux questions. Écoutez une deuxième fois le document et complétez vos réponses.

1 - Quel est le genre du document ?

1 point

☐ Un reportage.

☐ Une interview.

☐ Une table ronde.

2 - Quel titre peut-on donner à ce document ?

1,5 point

. . . .

3 - Quels sont les objectifs de cette émission ? (*Deux choix de réponse*)

2 points

☐ Critiquer les médias et Internet.

☐ Rassurer le monde de la presse.

☐ Rectifier quelques informations.

☐ Conseiller la lecture de journaux.

☐ Faire exprimer des points de vue.

☐ Réfléchir sur l'évolution médiatique.

4 - Valérie Jeanne-Perrier affirme que de nombreux médias n'ont pas encore de site internet.

1,5 point

☐ Vrai.   ☐ Faux.

Justification : . . . .

5 - Valérie Jeanne-Perrier parle d'un journal de la région du Centre. En quoi est-il singulier ?

2 points

☐ Il diversifie ses supports d'informations.

☐ Il fonctionne grâce aux dons des lecteurs.

☐ Il utilise une vieille technique d'impression.

6 - Selon Valérie Jeanne-Perrier, qu'est-ce qu'Internet représente ?

2 points

☐ Une source d'informations utile.

☐ Un support médiatique inévitable.

☐ Un média fortement concurrentiel.

7 - Pierre Haski parle d'un journal qu'il qualifie de contre-exemple. En quoi est-il différent des autres ? (*Deux éléments de réponse*)

2 points

. . . .

8 - Selon Pierre Haski, quelle est la spécificité de certains journaux qui existent depuis quelques années ?

2 points

. . . .

9 - Pour Pierre Haski, quelle est la particularité des lecteurs d'aujourd'hui ?

2 points

☐ Ils développent un esprit critique envers l'actualité.

☐ Ils ont l'habitude de s'informer *via* différents médias.

☐ Ils éprouvent le besoin de comprendre les événements.

10 - Selon Pierre Haski, qu'est-ce qui caractérisait les lecteurs de *Libération* ?　　`2 points`

☐ Ils étaient informés des derniers articles publiés.

☐ Ils participaient à des rassemblements politiques.

☐ Ils entretenaient une forme de complicité entre eux.

PRÊT POUR L'EXAMEN

❶ Lire rapidement et efficacement le questionnaire de l'exercice.
❷ Noter sur une feuille séparée les informations importantes.
❸ Ne pas se laisser déstabiliser par quelques mots inconnus.
❹ Se référer au contexte quand vous ne comprenez pas une phrase.
❺ Répondre aux questions dans l'ordre dans la mesure du possible.

PISTE 30

Exercice 3

Lisez les questions. Écoutez une première fois l'enregistrement. Répondez aux questions. Écoutez une deuxième fois le document et complétez vos réponses.　　`18 points`

1 - Quel est le genre de cette émission ?　　`1 point`

☐ Une interview.

☐ Une chronique.

☐ Une table ronde.

2 - Combien une famille moyenne possède-t-elle d'écrans ?　　`1,5 point`

....

3 - Qu'est-ce qui augmente le nombre d'écrans dans les familles ?　　`1,5 point`

....

4 - Selon Olivier Gérard, qu'est-ce qu'on observe dans les familles au sujet des écrans ?　　`2 points`

☐ Ils perturbent la concentration des plus jeunes.

☐ Ils laissent leur place aux tablettes numériques.

☐ Ils fonctionnent constamment et simultanément.

5 - Quel est le point de vue d'Olivier Gérard sur la place des écrans dans les foyers ?　　`2 points`

☐ Très engagé.

☐ Plutôt modéré.

☐ Assez optimiste.

6 - Quelle est l'opinion de Sabine Duflo sur les écrans dans les familles ?　　`2 points`

☐ Ils provoquent une diminution de la sociabilité des plus petits.

☐ Ils ont une mauvaise influence sur l'hygiène de vie des enfants.

☐ Ils retardent le développement intellectuel des jeunes garçons.

7 - Selon Sabine Duflo, qu'est-ce qu'il est important de faire dans les familles ?　　`2 points`

☐ Étudier l'utilisation quotidienne des écrans toujours allumés.

☐ Attirer l'attention sur les conséquences de l'usage des écrans.

☐ Diminuer fortement le nombre d'écrans présents à la maison.

8 - Pourquoi certains parents font-ils la démarche d'aller voir Sabine Duflo ?
(*Deux éléments de réponse*)   `2 points`

....

9 - Qu'est-ce que Sabine Duflo constate au sujet des écrans ?   `2 points`

☐ Ils remplacent les activités créatives.

☐ Ils se trouvent dans toutes les pièces.

☐ Ils créent des situations d'énervement.

10 - Pour Sabine Duflo, pourquoi les écrans contrarient-ils les parents ?   `2 points`

☐ Ils réduisent leur capacité à se faire obéir.

☐ Ils émettent des sons qui gênent leur repos.

☐ Ils leur coûtent de grandes sommes d'argent.

PRÊT POUR L'EXAMEN

❶ Ne pas répondre trop rapidement aux différentes questions.
❷ Accorder une attention particulière aux questions ouvertes.
❸ Repérer les mots clés et comprendre les idées principales.
❹ Noter sur une feuille séparée les informations essentielles.
❺ Être attentif aux informations répétées ou reformulées.

2 Comprendre une interaction entre locuteurs natifs

PISTE 31

Exercice 4   `7 points`

▶ La première question concerne toujours la compréhension globale du document.

▶ Les questions suivent toujours l'ordre du document sonore.

▶ Les questions sont toutes indépendantes les unes des autres.

▶ Les questions portent exclusivement sur la compréhension du document et non pas sur des connaissances du monde francophone.

▶ Les questions à réponse ouverte courte demandent une attention particulière.

Lisez les questions. Écoutez l'enregistrement et répondez aux questions.

1 - Quel est le genre de cette émission ?   `1 point`

☐ Un reportage.

☑ Une interview.

☐ Un micro-trottoir.

▶ Cette question évalue votre capacité à comprendre la nature du document. Vous pouvez constater qu'il s'agit d'un entretien. Un journaliste accueille une personnalité et lui pose des questions sur son activité professionnelle. L'invité se contente de répondre.

2 - Qu'est-ce que Georges Buisson a fait dans sa carrière ? 『 1 point 』

.... *Une réponse attendue parmi les deux réponses suivantes : Il a dirigé la coupole de Sénart* ....

.... *en banlieue parisienne. Il a organisé le premier festival mondial de théâtre à domicile.* ....

▸ Vous devez repérer au début de l'extrait une information précise sur le parcours professionnel de l'invité. Soyez attentif aux verbes d'action conjugués au passé composé.

3 - À quel moment le théâtre à domicile s'est-il développé ? 『 1 point 』

.... *Dans les années 1970.* ....

▸ De nouveau, il vous faut repérer une information détaillée et plus particulièrement, une indication temporelle et chiffrée.

4 - Pourquoi Georges Buisson a-t-il décidé de développer cette forme de théâtre ? 『 1 point 』

☑ Il a eu l'idée de cibler les gens qui ne fréquentaient pas les théâtres.

☐ Il a constaté que cette forme de théâtre avait du succès à l'étranger.

☐ Il a choisi de fuir la pression qu'il ressentait dans les grands théâtres.

▸ La question porte sur la compréhension globale du document, autrement dit sur une information essentielle. Repérez la première question du journaliste et soyez attentif à la réponse de l'invité. Vous devez choisir la phrase qui synthétise le mieux son idée.

5 - Où les premiers spectacles à domicile ont-ils été organisés ? 『 1 point 』

☐ À Paris.

☐ À Sénart.

☑ À Bobigny.

▸ Il vous est demandé de repérer une information précise et plus particulièrement un nom de ville. Soyez vigilant car les trois choix de réponse sont présents dans le document.

6 - Pour Georges Buisson, quelle est la particularité des habitants de la ville où ont lieu les spectacles à domicile ? 『 1 point 』

☐ Ils s'impliquent dans des associations.

☑ Ils accordent une priorité au logement.

☐ Ils s'engagent dans la vie politique locale.

▸ Dans l'extrait, l'invité parle des gens qui habitent la ville où les spectacles à domicile sont organisés. Sur quoi insiste-t-il ? Quelle information met-il en valeur ?

7 - Selon Georges Buisson, sur quoi repose l'organisation d'un spectacle à domicile ? 『 1 point 』

☐ Sur les compétences en management du metteur en scène.

☐ Sur le travail de communication qui se fait dans le quartier.

☑ Sur le carnet d'adresses de ceux qui reçoivent les comédiens.

▸ Il s'agit de nouveau d'une question portant sur une information essentielle du document. Examinez bien les choix de réponse et sélectionnez celui qui se rapproche le plus de ce qu'explique Georges Buisson.

CE QUE JE RETIENS

▸ Qu'est-ce que je fais avant la première écoute du document ?

▸ Quelle est la particularité de la première question de l'exercice ?

▸ Qu'est-ce que je fais pendant l'écoute pour développer mon attention ?

▸ Comment je réagis quand je ne comprends pas une phrase ?

▸ Dans quel ordre est-ce que je dois répondre aux questions ?

S'ENTRAÎNER

PISTE 32

Exercice 5

`7 points`

Lisez les questions. Écoutez l'enregistrement et répondez aux questions.

1 - Quel est le domaine de l'émission ? `1 point`

☐ Sciences.

☐ Économie.

☐ Éducation.

2 - À quelle occasion fait-on cette émission ? `1 point`

....

3 - Selon Claude Halmos, de quel facteur dépend l'utilité d'un stage ? `1 point`

☐ Des tâches réalisées par l'adolescent.

☐ Des responsabilités données au jeune.

☐ Des qualités personnelles du collégien.

4 - Pour Claude Halmos, ces stages peuvent être vécus de deux manières différentes.
Lesquelles ? *(0,5 point par bonne réponse)* `1 point`

....

....

5 - D'après Claude Halmos, de quoi dépend l'intérêt du stage pour le jeune ? `1 point`

☐ De la volonté de l'entreprise à bien former le jeune stagiaire.

☐ De l'importance que les adultes accordent à cette expérience.

☐ De la capacité du collégien à s'intégrer à une équipe de travail.

6 - Selon Claude Halmos, quel peut être l'avantage du stage ? `1 point`

☐ L'élève commence à se considérer comme un individu indépendant.

☐ Le jeune commence à se constituer un réseau de relations précieuses.

☐ L'adolescent acquiert progressivement de l'expérience professionnelle.

7 - Pourquoi certains adolescents craignent de découvrir la vie active ? `1 point`

☐ Ils savent qu'il est compliqué de se faire de bons amis au travail.

☐ Ils ont encore quelques incertitudes sur leur orientation scolaire.

☐ Ils ont conscience des difficultés professionnelles de leurs parents.

PRÊT POUR L'EXAMEN

❶ Lire rapidement et bien comprendre toutes les questions.

❷ Accorder une attention particulière aux questions ouvertes.

❸ Ne pas se laisser déstabiliser par la vitesse du débit de parole.

❹ Noter brièvement sur une feuille les informations importantes.

❺ Utiliser le contexte pour faire face à une difficulté de compréhension.

Exercice 6

Lisez les questions. Écoutez l'enregistrement et répondez aux questions.

1 - Quel est le genre de cette émission ?   1 point

☐ Un débat.

☐ Une interview.

☐ Une chronique.

2 - Quel est le sujet de recherche de Jérémie Moualek ?   1 point

....

3 - Quelle est la position de Jérémie Moualek au sujet du vote obligatoire ?   1 point

☐ Il y est radicalement opposé.

☐ Il y est absolument favorable.

☐ Il y est légèrement indifférent.

4 - Selon Jérémie Moualek, que faudrait-il faire pour redonner du sens aux élections ?   1 point

☐ S'intéresser concrètement à l'action des élus.

☐ Allonger la durée des campagnes électorales.

☐ Rappeler aux électeurs leurs devoirs civiques.

5 - Quelle est la fonction de François de Rugy ?   1 point

....

6 - Quel argument des défenseurs du vote obligatoire Jérémie Moualek présente-t-il ?
(*Un élément de réponse attendu parmi trois*)   1 point

....

7 - Selon Jérémie Moualek, qu'est-ce qu'on observe dans les pays où le vote est obligatoire ?   1 point

☐ Les gens votent pour éviter de payer une contravention.

☐ Les citoyens votent blanc quand ils se rendent aux urnes.

☐ Les électeurs votent en masse pour le parti de l'opposition.

PRÊT POUR L'EXAMEN

❶ Lire vite et attentivement toutes les questions de l'exercice.
❷ Avoir en tête les questions ouvertes au moment de l'écoute.
❸ Être attentif aux positions et aux opinions des interlocuteurs.
❹ Noter sur une feuille séparée les informations importantes.
❺ Ne pas se laisser déstabiliser par quelques mots compliqués.

PRÊT POUR L'EXAMEN !

Communication

- Conclure son propos
- Développer un thème
- Donner un exemple
- Exprimer son approbation
- Exprimer son point de vue
- Faire une transition
- Prendre la parole
- Rapporter des propos

Percevoir

Identifier le genre de l'extrait :

- ▸ Interview : entretien d'un journaliste avec une personnalité
- ▸ Chronique : émission régulière avec des commentaires personnels
- ▸ Reportage : le journaliste présente avec objectivité des informations
- ▸ Débat : les locuteurs expriment des idées opposées sur un sujet donné
- ▸ Table ronde : chacun présente son point de vue pour approfondir un thème
- ▸ Micro-trottoir : dans la rue, la même question est posée à plusieurs personnes

Grammaire

- Les temps du passé
- Le conditionnel présent
- Les formes impersonnelles
- Les pronoms relatifs composés
- Les verbes + subjonctif ou indicatif
- Les verbes suivis d'une préposition
- Les conjonctions + subjonctif ou infinitif
- Les connecteurs temporels et argumentatifs

STRATÉGIES

1. Je parcours rapidement le questionnaire, je repère une question qui me semble difficile et j'essaie de la mémoriser en quelques secondes avant la première écoute.

2. Je note sur ma feuille de brouillon les mots clés présents dans le questionnaire et je me concentre pour repérer les synonymes de ces mots dans le document sonore.

3. Je divise ma feuille de brouillon en trois parties afin d'ordonner mes notes :
1. Informations essentielles
2. Informations précises
3. Points de vue

Vocabulaire

- ▸ Culture
- ▸ Consommation
- ▸ Écologie
- ▸ Économie
- ▸ Éducation
- ▸ Entreprise
- ▸ Mode
- ▸ Politique
- ▸ Santé
- ▸ Sport

Exprimer son opinion

À mon avis
De mon point de vue
En ce qui me concerne
Il me semble que…
Selon moi, …
Mon sentiment, c'est que…
Moi, personnellement, …
Je considère que…

Concéder

La seule chose…, c'est que…
C'est juste, mais…
Absolument, mais…
Quand on dit que…, c'est vrai…, mais…
Je reconnais que…, mais…
Certes…, mais…
Je ne nie pas que…
toutefois…

Approuver

J'approuve totalement que…
Je suis pour…
Tu as raison de…
Tu as bien fait de…
C'est une bonne idée de…

Désapprouver

Je désapprouve…
Je suis contre…
Tu as tort de…
Il est inacceptable que…
C'est une honte que…
Je ne suis pas en faveur de…

La certitude

Je suis persuadé que…
Il est indubitable que…
Je ne doute pas que…
Ça ne fait pas l'ombre d'un doute que…
J'ai la conviction que…
On ne peut pas nier que…

L'incertitude

Je ne suis pas sûr que…
Je me demande si…
Je suis perplexe à propos de…
Je suis un peu déconcerté de…

L'évidence

Il n'y a pas de doute.
Ça ne fait aucun doute.
Il est évident que…
Il est clair que…
Il faut se rendre à l'évidence que…
Il va de soi que…

Introduire un thème

J'aimerais bien vous parler de…
Je voudrais dire un mot sur…
Ce que je voudrais dire, c'est que…
Je voudrais souligner que…
Il est intéressant de constater que…
Il serait utile de considérer que…

Annoncer un plan

Je traiterai plusieurs points…
J'aborderai les aspects suivants : …
Le premier point, …
Je terminerai par…
Le dernier point examiné sera…

Faire une transition

Je passe maintenant à…
J'en viens à…
Le point suivant, c'est…
Cela nous amène à…

Donner un exemple

Je vais prendre comme exemple :
Je prendrai l'exemple suivant :
On peut prendre l'exemple de :
Je vous donne un exemple :
Et c'est ainsi que…

Conclure

Tout compte fait, …
En définitive, …
Au terme de cette analyse, …
En conclusion, …
Pour terminer, …
Tout bien considéré, …

Conseiller

Vous feriez mieux de…
Vous auriez bien tort de…
À ta place, je…
Si j'étais toi, …
Tu aurais tout intérêt à…
Si tu veux un conseil, …
Je te recommande de…

Je suis prêt ?

Les 4 questions à se poser

1. Est-ce que je sais repérer les discours écrits lus ?

2. Est-ce que je sais identifier les discours spontanés ?

3. Est-ce que je suis capable d'identifier les questions portant sur la compréhension globale (le genre, le domaine, le thème, la fonction…), détaillée (un nom, un chiffre, un sigle…) et fine (le ton, le point de vue…) ?

4. Est-ce que je sais utiliser des abréviations quand je prends des notes sur ma feuille de brouillon ? Par exemple : *Conséquence : csq / Conclusion : ccl / Important : Impt / Parce que : pcq / C'est-à-dire : càd.*

PRÊT POUR L'EXAMEN !

✓ À faire

AVANT L'EXAMEN

- ☐ **choisir une radio francophone et sélectionner une émission,** l'écouter pendant 5 minutes et prendre des notes, écrire sur une feuille le thème de l'émission, 2 informations essentielles et 3 informations précises
- ☐ **sélectionner un reportage d'une télévision francophone,** noter de manière synthétique les idées et les points de vue
- ☐ **assister à une conférence francophone,** prendre des notes, synthétiser les idées importantes et utiliser des abréviations
- ☐ **réviser les** connecteurs logiques de la cause, de la conséquence, du but, de l'opposition, de la concession et de l'hypothèse

LE JOUR DE L'EXAMEN

- ☐ arriver au moins 15 minutes avant le début des épreuves
- ☐ prendre son passeport et sa convocation, prévoir un deuxième stylo à bille noir au cas où
- ☐ bien éteindre son téléphone portable avant le début de l'épreuve
- ☐ soigner son écriture, s'efforcer d'écrire correctement

Compréhension
des écrits

COMPRENDRE

L'ÉPREUVE

La compréhension des écrits est la deuxième épreuve collective de l'examen du DELF B2.

Durée totale de l'épreuve	**1 heure**
Nombre de points	**25 points**
Nombre d'exercices	**2 exercices**
Nombre de documents à lire	**2 documents**
Quand lire les questions ?	**Avant de lire les documents**
Quand lire les documents ?	**Après avoir lu la consigne et les questions**
Quand répondre aux questions ?	**Après avoir tout lu**

Objectifs des exercices

Exercice 1   **Lire pour s'informer**
Exercice 2   **Comprendre une argumentation**

LES SAVOIR-FAIRE

Il faut principalement être capable de :

Identifier rapidement un texte

- La plupart des textes proposés au DELF B2 sont des articles de presse issus de journaux ou de sites internet. Familiarisez-vous bien avec la presse française pendant votre préparation.
- Lorsque vous découvrez un article, ayez comme premier réflexe de bien observer l'organisation d'ensemble du texte. Analysez le titre et la source pour déterminer la rubrique de l'article, relevez les mots principaux dans le chapeau pour répondre aux questions « Quoi ? Qui ? Quand ? Où ? Comment ? »

Identifier la fonction d'un texte

- Si l'auteur cherche à raconter une histoire et développe avec imagination et sentiments, le texte est narratif.
- Si son but est de présenter des faits sans prendre position, son texte est informatif.
- Si son but est de prendre position sur un thème, son texte est argumentatif.

Repérer la structure d'un texte

- Dans un texte, les paragraphes et les idées sont généralement reliés par des mots dits « articulateurs logiques ». Une bonne connaissance de ces connecteurs permettra de mieux comprendre la pensée de l'auteur, la logique et les nuances de son discours.

Analyser les prises de position

- Dans un article de type informatif, l'auteur présente des faits de manière objective et donne à son discours le caractère le plus neutre possible.
- Dans un texte argumentatif, l'auteur introduit dans son discours une part de subjectivité.

Reformuler les informations d'un texte

- Parmi les questions proposées, on vous demandera d'expliquer avec vos propres mots des expressions ou des phrases issues du texte. Il est donc important d'apprendre un lexique varié, des synonymes et de s'entraîner à la nominalisation (transformer un verbe en nom).

LES EXERCICES ET LES DOCUMENTS

	Supports possibles	Type d'exercice	Nombre de points
Exercice 1 Lire pour s'informer	Un article de journal à caractère informatif **Thèmes :** la France ou le monde francophone	Un questionnaire	13 points
Exercice 2 Comprendre une argumentation	Un article de journal à caractère argumentatif **Thèmes variés** sur des questions contemporaines, des sujets concrets ou abstraits	Un questionnaire	12 points

LA CONSIGNE

La consigne générale explique ce qu'il faut faire pour l'ensemble de l'exercice. Elle est écrite avant le texte : *Lisez le texte puis répondez aux questions.*
Les consignes des exercices 1 et 2 présentent pour chaque question la situation et les critères de sélection.

LES QUESTIONS ET LES RÉPONSES

Les questions sont toujours dans l'ordre du document. Les réponses aussi.

Les questions se présentent sous 4 formes :

– les questions à choix multiples (QCM) :
sélectionner la bonne réponse parmi trois choix de réponse. Il n'y a qu'une seule réponse correcte. Parfois, il faut sélectionner 2 bonnes réponses parmi 5 ou 6 propositions.

– les questions vrai/faux + justification : vous devez cocher pour indiquer si une affirmation est vraie ou fausse et justifier votre choix. Vous pouvez recopier la phrase du texte qui correspond.

– les questions qui invitent à relever des éléments dans le texte (exemples, arguments...).
Exemples : *Relevez trois éléments qui..., Donnez deux exemples de..., Citez deux arguments qui..., Trouvez dans le texte...,* etc.

– les questions qui invitent à reformuler des phrases ou des expressions du texte avec vos propres mots.
Exemples : *Reformulez la phrase suivante..., Quel est le sens de ... ?, Expliquez la phrase suivante..., Que veut dire l'auteur quand il dit ... ?*

CONSEILS

– Lire la presse francophone.
– S'entraîner à identifier rapidement un texte et le ton de l'auteur.
– Enrichir son lexique (domaines concrets et abstraits).
– Bien connaître les connecteurs logiques.
– Se familiariser avec les questions des exercices de la compréhension écrite.

1 Lire efficacement un texte

— Identifier rapidement un texte

Activité 1

Dans l'article suivant, trouvez à quoi correspond chaque étiquette : le titre, les intertitres, la source et le chapeau. Déduisez le thème principal à la lecture de ces éléments.

Écoles du numérique, un avenir devant soi

De l'établissement qui accueille les non-bacheliers à celui qui forme des ingénieurs, les écoles du numérique s'adressent à tous les publics. Même aux jeunes en échec scolaire.

[…] Coralyse Haara a 20 ans et depuis son entrée à la Web@cadémie, l'avenir lui sourit. L'entreprise qui l'accueille en alternance pour sa deuxième année d'étude lui a déjà promis un CDI. Pourtant, comme les 30 étudiants de sa promotion, elle est arrivée en rupture scolaire, doutant de ses capacités. « Ici, personne n'a le bac, c'est même une des conditions pour entrer », rappelle François Benthanane, créateur de cette école de la seconde chance qui, depuis 2010, forme en deux ans des « développeurs multi-langages, capables de s'adapter très vite au code utilisé par une entreprise ».

Formations gratuites

En 2013, une autre école l'a rejointe, plus connue du grand public, l'école 42, créée par Xavier Niel, le fondateur de Free, qui est aussi à l'origine de l'EEMI. L'école 42, financée sur ses fonds personnels, forme gratuitement en trois ou cinq ans des jeunes prometteurs, sans condition de diplôme. Car, comme l'explique Xavier Niel, « on peut ne pas avoir le bac et pourtant devenir le développeur le plus brillant de sa génération ». EEMI (École européenne des métiers de l'Internet), qu'il cofinance avec d'autres entraîneurs, s'adresse, elle, à un public plus classique de bacheliers qui paient leur scolarité. « Nous recrutons tous les bacs », se réjouit sa directrice, Sophie de Kerdrel […]. « La première année généraliste, permet de découvrir les métiers relativement méconnus du secteur. D'ailleurs, une fois sur deux, l'étudiant choisit une option autre que celle pour laquelle il est entré dans l'école », ajoute-t-elle. Preuve de la méconnaissance générale des métiers du secteur. […]

Pédagogie innovante

Toutes ces écoles ont en commun d'offrir une pédagogie très innovante, qui n'a rien à voir avec celle du lycée. Le travail par projets, en groupe, y est la norme, même si chaque établissement le décline à sa manière. À EEMI, « sur les 12 enseignements de première année, 4 seulement ressemblent à ceux que les élèves ont connus au lycée », rappelle la directrice. Epitech se fait fort de développer la capacité à travailler en groupe. Hétic aussi, qui, avec ses 850 élèves, se présente comme une

« entreprise école » : dès la 3e année, un tiers du temps est consacré à la création de sites ou d'applis mobiles.

Nicolas Sadirac est au cœur de la pédagogie nouvelle du secteur pour avoir inventé Epitech, lancé la Web@cadémie, avant de co-fonder l'école 42. « Au fil des ans, j'ai acquis la conviction qu'on devait complètement révolutionner le système éducatif », explique cet ex-bon élève qui a pensé une pédagogie active, partout où il est passé. Un moyen d'aider les étudiants à se révéler car « les qualités pour réussir dans le numérique n'ont aucun rapport avec celles validées par le système scolaire traditionnel ». […]

Ermance Musset, *Apel Famille & Education* n°510, janvier-février 2016.

Thème du texte : ....

Activité 2

Pour les trois exemples suivants, lisez la source et complétez le tableau.

Source 1 : *l'Obs*, n°2662, 12-18 novembre 2015.
Écrit par Arnaud Gonzague.

Source 2 : *Alternatives Économiques, n°352*, décembre 2015.
Co-écrit par E. Laurent, économiste senior au département des études de l'OFCE et P. Pochet, Directeur Général de l'Institut syndical européen.

Source 3 : *blog.lefigaro.fr*, 10 octobre 2015.
Écrit par Vincent Chaudel.

	Source 1	Source 2	Source 3
Ce texte est issu :			
– d'un hebdomadaire			
– d'un mensuel			
– d'un blog sur Internet			
Il vient :			
– d'un magazine généraliste			
– d'une revue spécialisée			
Il a été écrit par :			
– un journaliste			
– un spécialiste			

Activité 3

Voici quelques titres de journaux francophones. Pour chaque titre, soulignez les mots clés pour déduire le thème de l'article, puis choisissez la rubrique qui lui correspond.

	Politique	Société	Économie	Environnement	Sciences	Culture	Sport
Alzheimer : le casse-tête des chercheurs							
Jeux Olympiques 2024 : Paris dévoile le logo de sa campagne							
Bourses mondiales : les marchés en baisse depuis plusieurs semaines							
Les musées français s'ouvrent aux collectionneurs chinois							
Loi numérique : des mesures pour mieux protéger les internautes							
Réforme du collège : imbroglio autour de l'avenir des classes bilangues							
Crise agricole : pourquoi ne pas rétablir les quotas de production ?							
Pour la défense de la biodiversité, interdisons les insecticides néonicotinoïdes							
Remaniement ministériel : le casting du nouveau gouvernement							
Tâches ménagères : les inégalités ont la vie dure !							

Activité 4

Dans les chapeaux suivants, cherchez les mots clés qui répondent aux questions « Quoi ? Qui ? Quand ? ». Puis choisissez la rubrique correspondante. Enfin, trouvez un titre à chaque article.

1. Covoiturage, autopartage, location de véhicules : de nouvelles formes de déplacement se sont imposées en quelques années. Mais la révolution de la mobilité partagée ne fait que commencer. Économie, écologie, urbanisme… Elle va tout balayer.

Côme Bastien, *Socialter*, octobre 2015.

a - Quoi ? ....

Qui ? ....

Quand ? ....

b - Quelle rubrique est la plus adaptée ?   ❑ Politique   ❑ Société   ❑ Sciences

c - Proposez un titre : ....

2. Devenir propriétaire, est-ce toujours un rêve français ? Quand le marché se durcit, beaucoup renoncent à l'achat de leur vie. Ils inventent de nouvelles formes de logement où l'être surpasse l'avoir.

Maif magazine, n°170, janvier 2016.

a - Quoi ? ....

Qui ? ....

Quand ? ....

b - Quelle rubrique est la plus adaptée ?   ❑ Politique.   ❑ Société.   ❑ Sciences.

c - Proposez un titre : ....

3. Tricot, yoga, cuisine, jeux vidéo... et même lecture. Les médiathèques municipales ont remplacé le bistrot comme « troisième lieu », après la maison et le travail. Une mutation qui attire le public, mais déplaît parfois aux puristes de la culture.

Lorraine Rossignol, *www.telerama.fr*, 18 janvier 2016.

a - Quoi ? ....

Qui ? ....

Quand ? ....

b - Quelle rubrique est la plus adaptée ?   ❑ Politique.   ❑ Société.   ❑ Sciences.

c - Proposez un titre : ....

Activité 5

Observez les titres de presse suivants sur la réforme de l'orthographe française décidée en 1990 et appliquée dans les manuels scolaires en 2016. Indiquez si le ton est neutre ou engagé et pourquoi.

	Ton neutre	Ton engagé	Justification
Réforme de l'orthographe : les manuels revus et corrigés			....
Réforme de l'orthographe : inapplicable !			....
Nouvelle orthographe, accent circonflexe : la réforme surprise de l'orthographe			....
Contre une réforme de l'orthographe dénaturant la langue française			....

— Repérer la structure d'un texte

Activité 6

Dans le texte suivant, le titre et les intertitres ont été supprimés. Lisez l'intégralité du texte et répondez aux questions.

....

Depuis quelques années, l'opinion publique prend peu à peu conscience des effets délétères de la télévision sur la santé de nos enfants. Principale répercussion constatée, son rôle dans l'obésité. Si la télévision pousse à la sédentarité, la publicité qu'elle diffuse influencerait également le comportement alimentaire des enfants. Et pas dans la bonne direction. Des scientifiques l'ont une nouvelle fois constaté au cours d'une étude de grande ampleur.

....

Ce décryptage, à paraître en février dans la revue *Obesity Review* et relayé par le site *Pourquoi docteur*, nous vient des États-Unis, où, rappelons-le, les deux-tiers de la population souffrent d'obésité. Les chercheurs de l'université de Yale se sont intéressés aux différents stimuli qui interviennent dans le comportement alimentaire, qu'ils soient olfactifs, visuels ou environnementaux. [...]

D'après leurs résultats, regarder une publicité vantant les mérites d'un aliment déclenche tout autant l'envie de manger que sentir l'odeur d'une gaufre. La stimulation visuelle serait même plus puissante que la stimulation olfactive et ce, chez une majorité d'individus - quels que soient leur âge ou sexe et qu'ils soient obèses ou minces.

La co-auteure de l'étude Hedy Kober a particulièrement pointé du doigt les publicités destinées aux enfants et qui entretiennent la prise de poids chez les plus jeunes [...].

....

[...] Un constat inquiétant lorsque l'on sait que les enfants de 4 à 10 ans passent plus de deux heures par jour devant la télévision, dont 10 % devant la seule publicité (1).

En octobre 2015, le psychiatre et psychanalyste Serge Tisseron décryptait le phénomène pour le journal *20 minutes* : « Si un enfant regarde une pub vantant le goût d'une barre chocolatée, il va se précipiter sur ce produit s'il est dans le placard de la cuisine. Et s'il n'y est pas, comme l'enfant est un prescripteur d'achats auprès de ses parents, il va les convaincre d'acheter cette barre chocolatée. Or, ce grignotage est l'un des facteurs de l'augmentation de l'indice de masse corporelle des enfants dans notre pays. »

D'autre part, si un adulte peut faire la part des choses en regardant la publicité d'un produit calorique, l'enfant en est incapable : « Avant 7 ans, un enfant reçoit un programme publicitaire comme une vraie information », expliquait Serge Tisseron au quotidien. Sans compter qu'il goutte ainsi au virus de la surconsommation.

Dans un rapport daté de janvier 2014, le Pr Serge Hercberg, responsable du Programme national nutrition-santé (PNNS), préconisait d'encadrer les programmes publicitaires, en prévoyant notamment une régulation de la publicité en fonction de la qualité nutritionnelle des aliments. Il prévoyait ainsi de réserver la publicité de 7 à 22 heures aux aliments ayant un score nutritionnel considéré comme suffisamment favorable. Une idée approuvée par Marine Friant-Perrot, maître de conférence de l'université de Nantes, qui déclarait au site *Pourquoi docteur* en mai 2015 : « On a des exemples à l'étranger, notamment en Grande-Bretagne et dans de nombreux pays hors Union européenne, qui montrent un impact positif de l'encadrement du marketing alimentaire [...]. On voit un effet sur la consommation des produits "peu sains". » [...]

Ophélie Ostermann, *madame.lefigaro.fr*, 20 janvier 2016.

1 - Cochez la bonne réponse. Quel est le thème principal de l'article ?

☐ La qualité nutritionnelle des aliments consommés par les jeunes.

☐ Le marketing alimentaire à destination des enfants.

☐ L'impact de la publicité sur l'obésité des enfants.

2 - Cochez la bonne réponse. Quel est l'objectif de l'auteur ?

☐ Informer les lecteurs d'une situation sur la base d'études scientifiques.

☐ Prendre position sur un thème de société.

☐ Comparer des situations dans différents pays.

3 - Reliez comme il convient. Quel est le rôle de chaque partie du texte ?

Partie 1 ●   ● Préconiser une solution au problème soulevé

Partie 2 ●   ● Introduire l'article, présenter le développement

Partie 3 ●   ● Présenter l'objet et les résultats d'études scientifiques

Partie 4 ●   ● Préciser ces résultats par l'analyse psychologique

4 - Choisissez pour chaque intertitre l'intitulé le plus adapté. Reliez comme il convient.

Intertitre 1 ●   ● Vers un meilleur encadrement de la publicité

Intertitre 2 ●   ● La stimulation visuelle plus forte que le stimuli olfactif

Intertitre 3 ●   ● Deux heures par jour devant la publicité

5 - Proposez un titre à l'article.

Activité 7

Un texte est une succession d'idées structurées grâce à des mots appelés « connecteurs logiques ».
Lisez l'article suivant et classez les mots soulignés selon leur catégorie.
Pour les articulateurs logiques, précisez l'idée exprimée : l'addition, l'opposition, la conséquence, la condition, l'intensité.

Cinq idées reçues sur les Français

Les Français sont eux-mêmes souvent convaincus qu'ils ont tout faux et qu'ils doivent renoncer à leur modèle social. Un discours qui ne résiste pas à l'analyse.

Les Français ont le *blues*. Depuis longtemps déjà et bien davantage encore que la plupart de leurs voisins. La crise de 2008 et ses répercussions n'ont rien changé : elles ont surtout achevé de nous convaincre que la France était bien devenue l'« homme malade de l'Europe », le pays qui a tout faux et qui doit tout changer. [...]

Ce mal-être chronique se traduit notamment par une course effrénée derrière des « modèles » étrangers qu'il faudrait absolument copier. Entre les Scandinaves, les Néerlandais, les Anglo-saxons, les Allemands..., on ne sait plus où donner de la tête, tant la mode change rapidement. Mais une chose est sûre : l'herbe est toujours (beaucoup) plus verte ailleurs.

Sans nier aucunement les difficultés – nombreuses et réelles – que traverse actuellement le pays, ce point de vue pessimiste est cependant largement erroné. À de nombreux égards, la France ne s'en sort pas plus mal que les autres. Et pour l'avenir, elle dispose d'atouts non négligeables. C'est pourquoi nous avons voulu démonter quelques-unes des idées reçues les plus fréquemment énoncées à propos de nos nombreuses turpitudes.

Pour l'avenir, il existe par ailleurs de sérieuses raisons de penser que la mondialisation pourrait, plus facilement qu'on ne le croit, changer de cours et ne plus peser aussi négativement sur notre modèle social. Quant à la construction européenne, elle n'est pas condamnée à rester éternellement un temple du dumping fiscal et social, pour peu que ses habitants, et notamment ceux de l'Hexagone, se mobilisent en ce sens. [...]

Guillaume Duval, *Alternatives Économiques*, n° 348, juillet-août 2015.

	Indicateur de temps	Adverbe de manière	Articulateur logique	Idée exprimée
depuis longtemps	x			....
notamment		x		....
tant			x	....
mais				....
aucunement				....
cependant				....
et				....
c'est pourquoi				....
pour l'avenir				....
par ailleurs				....
quant à				....
pour peu que				....

Activité 8

Insérez les connecteurs logiques suivants dans le texte à trous ci-dessous :
alors - troisièmement - même - d'abord - premièrement - enfin - désormais - deuxièmement.

Une économie française qui embauche : ça existe !

Il est un secteur qui résiste fort bien à la crise et en a même « profité » : l'Économie Sociale et Solidaire (ESS) représente 10 % du PIB et 2,4 millions de salariés. [...] Des tendances de fond de notre société favorisent l'essor de cette économie plus douce, soucieuse de l'humain et de son environnement.

............, le consommateur est devenu plus responsable dans ses achats. Un Français sur deux déclare .... intégrer dans ses achats la dimension sociale et environnementale (source *Ethicity Greenflex*). .... les écoles de management proposent de plus en plus de masters combinant quête de sens et performance, prônant une autre vision de la réussite. ...., si l'ESS se professionnalise, les entreprises « classiques » internalisent les considérations économiques et sociales. [...]

..........., que faire pour favoriser son développement ? ...., limiter l'écart des rémunérations dans une même entreprise. Dans un contexte où les inégalités se creusent, est-il inconcevable d'adopter une échelle raisonnée des salaires ? [...] ...., changer de mesure et adapter notre comptabilité avec de nouveaux indicateurs portés au bilan, à parts égales avec les ratios financiers usuels. Des indicateurs qui permettent de considérer les salaires non comme une charge, mais comme un investissement. Des exemples inspirants existent avec la comptabilité universelle ou le capital immatériel. ...., systématiser l'inclusion de structures de l'ESS dans les commandes publiques. La loi ESS pose un premier cadre qu'une décision du gouvernement pourrait déployer. L'ESS ne connaît pas la crise, aidons-la à prospérer au service de l'humain !

Stéphanie Goujon (Directrice générale de l'Agence du Don en Nature.
Membre du Conseil économique social et environnemental), *les Echos.fr*, 30 décembre 2015.

Activité 9

Lisez les 3 extraits de texte suivants. Complétez le tableau pour indiquer dans quel but l'auteur les a écrits (texte narratif, texte informatif, texte argumentatif).

Extrait 1

On peut s'inquiéter pour les emplois de demain, mais les robots ne seront pas les seuls coupables du « chômage technologique » à venir. Loin de là. Le rapport « ThinkAct » du cabinet Roland Berger daté d'octobre 2014 recense les autres dangers qui menacent la prochaine décennie. En tête de liste viennent le « big data » et les systèmes d'intelligence artificielle, qui automatisent les fonctions de décision, grâce à l'analyse algorithmique des données massives. Ces logiciels ne remplaceront pas les bras, mais les cerveaux !

Dominique Nora, *l'Obs*, n°2631, 9 avril 2015.

Extrait 2

C'est une histoire qui commence comme un devoir d'école. Vanessa Broche rentre d'une pause d'un an en Asie et Australie « pour explorer le monde » et, de retour sur les bancs de Sup de Pub, doit travailler sur un projet de création d'entreprise. « J'avais une copine, créatrice de mode, qui tentait de lancer sa marque » ; trouver de l'argent, pour acheter des matériaux, produire une collection, vendre les vêtements... une galère qui fait émerger l'idée d'une plateforme de financement participatif dédiée aux créateurs de mode.

Les Collab'elles, *Causette*, novembre 2015.

Extrait 3

L'objectif de la transition (sociale-écologique) que nous proposons n'est pas de « sauver la planète » ou de « sauver le climat », mais de réinventer une nouvelle solidarité face au défi environnemental et de protéger le bien-être des plus exposés et des plus sensibles d'entre nous [...]. La transition qu'il s'agit de mener à bien est celle qui conduit de la conservation de la nature, caractéristique du XIXe siècle, à la protection des humains au XXIe siècle. De cet impératif de protection peut naître une justice sociale.

Eloi Laurent et Philippe Pochet, *Alternatives Économiques*, n°352, décembre 2015.

	Texte narratif (raconter une histoire)	Texte informatif (présenter des faits)	Texte argumentatif (prendre position)	Éléments du texte justifiant votre choix
Extrait 1				....
Extrait 2				....
Extrait 3				....

Analyser les prises de position

Activité 10

Lisez les extraits et déterminez le ton dominant de chacun d'eux.

	Ton polémique	Ton pessimiste	Ton sceptique	Ton ironique
Extrait 1 : Les joueurs du XV de France ont fait les frais de leur inexpérience face au Pays de Galles. Dommage ! Nous attendions mieux de cette équipe.				
Extrait 2 : Après une prestation aussi médiocre, on peut s'inquiéter de la suite de la compétition. Cette équipe saura-t-elle nous montrer le talent que l'on attend d'elle ?				
Extrait 3 : Une attaque presque inexistante, une défense fébrile, des joueurs en mal d'inspiration. Cette équipe a-t-elle perdu ses fondamentaux ? Il est temps que les entraîneurs se remettent en question !				
Extrait 4 : Que d'énergie déployée pour si peu de points gagnés ! Que de cadeaux offerts à l'adversaire ! Une prestation sportive que nous ne sommes pas prêts d'oublier !				

Activité 11

Soulignez dans chaque phrase les mots exprimant la certitude ou le doute.
Cochez le procédé utilisé et ce qu'il exprime

| | Procédé utilisé | | | | Expression de | |
					certitude	doute
	Adjectif	Adverbe	Verbe	Expression		
1 - Selon les prévisions météo, la semaine prochaine sera <u>probablement</u> pluvieuse.		X				X
2 - Le PSG reste en tête du championnat et, de toute évidence, le gagnera en fin de saison.						
3 - Certains prétendent que la vie sur Mars est possible.						
4 - Suite aux mauvais chiffres du chômage, le gouvernement va assurément mettre en place des mesures pour l'emploi.						
5 - Il ne fait aucun doute que la marée noire va polluer le littoral sur plusieurs dizaines de kilomètres.						

Activité 12

Indiquez la nuance qu'apporte à l'énoncé le mot ou l'expression en gras : *hypothèse, reproche, comparaison, insistance, ironie, obligation.*

1 - Les adolescents sont toujours sur leur portable. **C'est une catastrophe !**

➡ ....

2 - La police **aurait arrêté** le coupable du cambriolage.

➡ ....

3 - Elle était tellement triste qu'elle **a pleuré toutes les larmes de son corps**.

➡ ....

4 - Ce garçon est **blanc comme un cachet d'aspirine.**

➡ ....

5 - Ma collègue est absente, elle **doit** être malade.

➡ ....

6 - Les salariés **exigent que** la direction **prenne** en compte leurs revendications.

➡ ....

7 - Ce film est une véritable nullité. Il sera **difficile de faire mieux !**

➡ ....

2 Comprendre et répondre aux questions

Les questions des activités ci-après porteront sur l'extrait de texte suivant :

[...] « La médiathèque est le seul lieu culturel public et gratuit, qui assure une mixité inter-générationnelle et sociale, explique Anne Verneuil, la présidente de l'Association des biblio-thécaires de France (ABF). À ce titre, elle devient un lieu majeur pour le vivre-ensemble. En cette période de fortes tensions sociales, les élus le savent bien, qui misent sur elle pour fabriquer du lien. » De fait, le nombre de bibliothèques-médiathèques municipales a litté-ralement explosé ces dernières années : d'un millier au début des années 1980, on est passé à quelque huit mille aujourd'hui. Et quels bâtiments ! Que ce soit à Troyes, Montpellier, Strasbourg, Montauban…, une sorte de surenchère au « geste architectural » a engendré des édifices toujours plus beaux, toujours plus brillants, qui quadrillent le territoire comme autant d'écrins de verre. [...]

Mais c'est surtout à l'intérieur que la révolution est à l'œuvre. Loin de se concentrer sur les collections, comme ce fut le cas depuis le Moyen Âge, les bibliothécaires se focalisent désor-mais sur le public et sa satisfaction. [...] Cours de tricot, de yoga, de cuisine, grainothèque pour les mains vertes, atelier de recherche d'emploi, de réparation de vélo, « battle » de jeux vidéo… tout est envisageable, et tout peut encore être inventé. Les professionnels en sont conscients qui, par précaution, choisissent désormais du mobilier « nomade » et adaptable, c'est-à-dire sur roulettes, afin de pouvoir reconfigurer les lieux en fonction des évolutions : « Nul ne sait à quoi ressemblera la médiathèque du futur, admet le sociologue Claude Poissenot. C'est pourquoi nombre de bibliothécaires, déstabilisés, vivent mal cette mutation : ils viennent d'un monde où les bibliothèques représentaient un îlot de stabilité. Ils se retrouvent aujourd'hui à cristalliser les changements. » Y aura-t-il, en particulier, toujours des livres dans les médiathèques de demain ? La question est ouverte. [...]

Lorraine Rossignol, « Viens chez moi, je suis à la bibliothèque », *telerama.fr*, janvier 2016.

▬ Se familiariser avec les différents types de questions

Activité 13
Les QCM peuvent porter sur l'ensemble du texte (idée générale, ton…) ou sur un passage en particulier. Lisez le texte puis répondez aux questions en cochant la bonne réponse.

a - Quel est le but de cet article ?
- ☐ Informer sur les projets d'architecture de nouvelles médiathèques.
- ☐ Présenter la mutation des espaces et services dans les médiathèques.
- ☐ Promouvoir les nouvelles activités proposées par les médiathèques.

b - Quelle est le ton employé par l'auteur ?
- ☐ Il est très critique.
- ☐ Il est enthousiaste.
- ☐ Il présente à la fois des opinions positives et négatives.

Activité 14

Pour chacune des affirmations suivantes, cochez si elle est Vraie (V) ou Fausse (F).
Justifiez à chaque fois votre réponse à l'aide d'une citation du texte. Utilisez les « ... ».

	V	F
1. La médiathèque est un endroit où des gens d'âges très différents peuvent se rencontrer. Justification :		
2. En 35 ans, le nombre de bibliothèques a doublé. Justification :		
3. Tous les bibliothécaires se réjouissent de l'offre diversifiée proposée par les médiathèques. Justification :		

Activité 15

Répondez aux questions suivantes en relevant les informations dans le texte.

a - Trouvez dans le texte deux objectifs sociaux qu'assurent les bibliothèques.

1. ....

2. ....

b - Relevez dans le texte trois activités nouvellement proposées au public dans les médiathèques.

1. ....

2. ....

3. ....

▬ Reformuler des informations du texte

Activité 16

Afin de préparer les questions types des activités 17 et 18, entraînez-vous à la reformulation de phrases. Pour reformuler, vous pouvez utiliser soit des mots ou expressions qui ont la même signification (des synonymes), soit des mots de la même famille en transformant par exemple un verbe en nom (nominalisation) ou inversement.
Pour chacune des phrases suivantes, choisissez la reformulation qui convient :

1 - La nouvelle génération consacre une part de plus en plus significative de son temps libre sur les réseaux sociaux.

☐ Les jeunes sont toujours plus attirés par les réseaux sociaux.

☐ Les adolescents ont davantage de temps libre grâce aux réseaux sociaux.

2 - Du fait des grèves, les vols au départ de Paris seront certainement retardés ou annulés.

☐ Des perturbations du trafic aérien sont à craindre au départ de Paris.

☐ Le retardement des grèves à Paris aura un impact sur les horaires des vols.

3 - Les entreprises ont beaucoup à gagner à faire évoluer leur organisation vers un mode de management plus collaboratif.
☐ Transformer l'organisation d'une entreprise, c'est un vrai challenge managérial.
☐ Le mode d'organisation collaboratif a un impact positif dans les entreprises.

4 - Tous les ans, nous jetons à la poubelle des quantités phénoménales d'aliments que nous aurions pu consommer.
☐ Nous gaspillons annuellement trop de nourriture.
☐ Notre consommation alimentaire est de plus en déséquilibrée.

5 - Pour remédier ponctuellement aux pics de pollution atmosphérique, les grandes agglomérations françaises ont décidé de réduire la vitesse de circulation de 20 km/h sur les grands axes routiers.
☐ Les grandes villes françaises sont fortement touchées par la pollution atmosphérique.
☐ Les conducteurs doivent ralentir pendant les périodes de forte pollution de l'air.

Activité 17
Répondez aux questions en explicitant une idée ou une opinion du texte page 49.

1 - Comment l'État s'y prend-il pour améliorer le taux de fréquentation des bibliothèques ?

....

....

2 - Que veut dire l'auteur quand il écrit : « Mais c'est surtout à l'intérieur que la révolution est à l'œuvre » ?

....

....

Activité 18
Répondez aux questions en reformulant des expressions relevées dans le texte page 49.
Vous pouvez introduire votre réponse par une expression comme : *Il veut dire que... - cette expression signifie que... - cela veut dire que...*

1 - Que sous-entend l'auteur dans l'expression « fabriquer du lien » ?

....

....

....

2 - Quel est le sens de l'expression « un îlot de stabilité » ?

....

....

....

S'ENTRAÎNER

1 Comprendre un texte informatif

Lisez cet article puis répondez aux questions.

La France s'attaque aux particules fines

Elles sont minuscules, on les inhale sans s'en rendre compte et elles sont plus dangereuses que n'importe lequel des polluants : les particules fines se nichent aujourd'hui partout dans l'atmosphère. Solides ou liquides, elles proviennent du trafic routier, de l'industrie, de l'agriculture et de la combustion des chauffages. Leur composition est très variée : sulfates, nitrates, ammonium, chlorure de sodium, carbone, matières minérales et eau.

On les appelle « fines » car leur taille se mesure en micromètres, l'équivalent d'un millio-nième de mètre. Plus ces particules sont petites, plus elles sont dangereuses.

L'Organisation mondiale de la santé (OMS) distingue des catégories : les particules PM10 (diamètre inférieur à 10 micromètres), qui pénètrent dans les voies respiratoires ; les parti-cules PM2,5 (diamètre inférieur à 2,5 micromètres), qui pénètrent plus profondément dans les poumons et peuvent se loger dans les alvéoles.

Les enfants fragilisés

L'OMS a fixé des limites à ne pas dépasser afin de protéger la santé humaine : 20 micro-grammes en moyenne par mètre cube d'air pour les PM10 et 10 microgrammes pour les PM2,5. Une étude publiée en juin dans la revue *Environmental Science and Technology* montre qu'en respectant ces normes, la vie de 3,2 millions de personnes serait épargnée chaque année ! Les populations les plus exposées à ces particules sont les personnes âgées et les enfants, qui ont tendance à respirer plus vite et plus fort que les adultes, ce qui favorise la pénétration des particules dans les poumons.

Les particules peuvent aussi entraîner des troubles comme une toux sèche chez les personnes souffrant d'asthme ou d'allergies. L'OMS estime que cette pollution serait res-ponsable de 15 à 30 % des maladies respiratoires et cardio-vasculaires.

Métros et routes très exposés

Contrairement à d'autres polluants, qui touchent principalement les routes, les particules fines sont présentes un peu partout car elles proviennent de toutes sortes d'acti-vités : les moteurs des voitures (principalement les diesels), la transformation chimique du gaz et le chauffage (fuel, bois et charbon). Et comme elles se déplacent loin du fait de leur légèreté, on les retrouve même dans les lieux *a priori* peu pollués. En 2006, les particules issues de feux agricoles en Europe de l'Est ont atteint une île de l'Arctique, à 3 000 km de distance. L'Observatoire régional indépendant de l'air en Midi-Pyrénées a montré que les passagers d'une voiture sont exposés à une concentration de 60 microgrammes/m^3. Dans un bus, le chiffre monte à 75 microgrammes/m^3. C'est le métro parisien qui enregistre les pics les plus importants. En janvier 2015, aux heures de pointe, la station Châtelet a enregistré des pics de 1 000 microgrammes/m^3.

Des mesures dès 2016

Comme pour tous les types de pollution, de simples réflexes s'imposent. D'abord, pour les plus fragiles, évitez de fréquenter les grands axes routiers. Les efforts physiques violents sont aussi à proscrire. Dans la maison, il faut aérer au moins une fois par jour 20 à 30 minutes, de préférence le soir. [...]

Isabelle Boyavalle, *Famille & éducation*, n°508, septembre-octobre 2015.

▸ Lisez bien chaque question.

▸ Pour les QCM, essayez de comprendre au maximum chaque proposition. Il peut s'agir d'une question globale ou d'une question sur un point particulier du texte.

▸ Pour les questions Vrai/Faux, retrouvez l'extrait de texte correspondant à la proposition. Une phrase ou un morceau de phrase suffit à justifier votre réponse.

▸ Pour les reformulations, utilisez des synonymes que vous connaissez ou que vous avez trouvés dans le texte.

▸ Les questions suivent l'ordre du texte (à part les questions globales). Ne cherchez pas la réponse des premières questions à la fin du texte.

1 - Cochez la réponse juste. Quel est l'objectif de l'auteur dans cet article ?   (1 point)

a. ☐ Donner son point de vue sur la pollution grandissante dans nos espaces urbains.

b. ☑ Informer sur un sujet de santé publique liée à l'environnement.

c. ☐ Raconter un fait divers survenu suite à un épisode de pollution.

▸ Il s'agit ici d'une question à choix multiples (QCM). Elle concerne la compréhension globale du texte et plus particulièrement sa fonction : narrative, informative ou argumentative.

2 - Cochez la réponse juste.
D'après l'auteur, la dangerosité des particules fines est principalement due...   (1 point)

a. ☐ à leur composition solide ou liquide.

b. ☐ à l'association de composants chimiques avec l'eau.

c. ☑ à leur taille minuscule.

▸ Il s'agit encore d'une question à choix multiples mais portant sur un élément spécifique du texte. Lisez bien chaque proposition du QCM pour vous assurer que vous avez bien compris. Retrouvez dans le texte la/les phrase(s) concernée(s), relisez et choisissez la réponse qui convient.

3 - Vrai ou faux ? Cochez la bonne réponse et recopiez la phrase ou la partie du texte qui justifie votre réponse.   (3 points)

▸ Lisez bien chaque proposition pour vous assurer que vous avez bien compris. Retrouvez dans le texte la/les phrase(s) concernée(s) et choisissez la réponse qui convient. Puis sélectionnez la phrase ou le morceau de phrase que vous choisissez pour justifier votre réponse. N'oubliez pas les « .... ».

	V	F
1. La pollution peut provoquer des maladies des poumons et du cœur. Justification : *« L'OMS estime que cette pollution serait responsable de 15 à 30 %* *des maladies respiratoires et cardio-vasculaires ».*	X	
2. Les adultes sont les plus vulnérables face aux particules fines. Justification : *« Les populations les plus exposées à ces particules sont les personnes* *âgées et les enfants ».*		X

4 - Donnez deux exemples d'activités responsables de l'émission de particules fines. (2 points)

a. Le trafic routier. b. L'industrie. On pouvait aussi répondre : l'agriculture, la combustion des chauffages.

▸ Dans cette question, on vous demande de relever des informations du texte.
Demandez-vous dans quelle partie du texte l'auteur parle de ces activités. On trouve parfois la réponse énumérée dans une seule phrase, parfois dans des phrases ou des paragraphes successifs.

5 - Dans ce texte, quel est le rôle de l'Organisation Mondiale de la Santé (OMS) ? (1 point)

L'OMS a un rôle de protection de la santé humaine. À ce titre, il détermine de façon préventive les

seuils de tolérance par type de particules.

▸ Il s'agit d'une question de compréhension dont vous devez reformuler la réponse avec vos propres mots. Repérez dans le texte le(s) phrase(s) concernée(s) et cherchez l'information demandée. Si vous n'êtes pas à l'aise avec ce type de question, passez à la suivante et revenez sur celle-ci à la fin.

6 - Que veut dire l'auteur quand il écrit :
« la vie de 3,2 millions de personnes serait épargnée chaque année » ? (1 point)

Cela signifie que les seuils fixés par l'OMS ne sont pas respectés et que 3,2 millions de personnes

meurent chaque année du fait d'une exposition trop forte aux particules fines.

▸ Il s'agit d'une question de compréhension dont vous devez reformuler la réponse avec vos propres mots. Vous pouvez introduire votre réponse avec des expressions du type : « Il veut dire que », « Cette phrase signifie que… ». Ici, il est bon d'expliquer le mode de conjugaison employé dans la phrase.

7 - Vrai ou faux ?
Cochez la bonne réponse et recopiez la phrase ou la partie du texte qui justifie votre réponse. (3 points)

	V	F
1. Les particules fines sont principalement concentrées près des routes. Justification : *« Contrairement à d'autres polluants, qui touchent principalement les* *routes, les particules fines sont présentes un peu partout ».*		X
2. Le bus est le moyen de transport où le passager est le plus exposé aux particules fines. Justification : *C'est dans le métro : « C'est le métro parisien qui enregistre les pics les* *plus importants ».*		X

8 - Quel conseil peut-on donner aux personnes les plus fragiles ?

.....Il est conseillé, d'une part, d'éviter le trafic de véhicules et le sport intensif, d'autre part, d'aérer....

.....quotidiennement son logement...

▸ C'est la dernière question et on vous demande de retrouver une information particulière, donc la réponse est très probablement à la fin du texte. La question est posée au singulier, on ne vous demande qu'un seul conseil, même si le texte en propose plusieurs.

> ### CE QUE JE RETIENS
>
> ▸ Quels types de questions sont posées ?
> ▸ Quels sont les mots clés du titre et du début du texte ?
> ▸ Quel est l'objectif de l'auteur ?
> ▸ Quel est le ton de l'article ?

Exercice 2

Lisez ce texte puis répondez aux questions.

Habiter : être ou avoir ?

Devenir propriétaire, est-ce toujours un rêve français ? Quand le marché se durcit, beaucoup renoncent à l'achat de leur vie. Ils inventent de nouvelles formes de logement où l'être surpasse l'avoir.

« Pourquoi pas si je gagne au loto… mais en l'état actuel du marché, c'est non ! Acheter un appartement me demanderait des efforts que je n'ai pas envie de faire. Je préfère les livres, les disques et les sorties… » Quand Audrey, professeur de français en ZEP, parle de son éternel statut de locataire, son entourage n'approuve pas. Comme s'il fallait être propriétaire de ses murs, quel qu'en soit le prix. « Dans un monde anxiogène, la propriété renvoie au désir profond d'ancrage, de sécurité et d'immortalité. C'est un objectif partagé par plus de 80 % des Français », souligne Fabrice Larceneux, coauteur de *Marketing de l'immobilier*. Depuis le milieu du XXᵉ siècle, la part des ménages propriétaires n'a cessé de progresser pour atteindre 65,1 % des ménages français. On est loin des 96 % de propriétaires roumains, qui ont acheté en masse les biens publics à la chute du mur, mais c'est plus qu'en Allemagne, un pays décentralisé où les loyers coûtent deux fois moins cher.

Plus personne n'achète les yeux fermés

[…] « L'arrivée d'Internet a bousculé le marché », remarque Fabrice Larceneux. « L'acheteur moderne s'est construit sa propre expertise. Il est à l'image de ces patients qui, après avoir consulté un site médical, ont déjà une idée précise de ce qu'il faut leur prescrire. Plus personne n'achète les yeux fermés, tant l'opération est risquée. Dans certains cas, il est en effet plus sage de rester locataire. » De nouveaux comportements apparaissent. Ainsi, quand la location elle-même apparaît **hors de portée**, il faut inventer des solutions. La colocation est devenue une rubrique à part entière sur le plus grand site d'annonces

Compréhension des écrits - S'entraîner   55

français. Francis, devenu veuf, n'a ainsi pas hésité à ouvrir sa porte à un jeune divorcé. « Nous nous entendons bien ; il me paie un petit loyer, participe à l'entretien du jardin... » Son colocataire n'a pas trop le choix : « C'est la meilleure formule. Mes revenus ne me permettent pas de **me loger décemment** et j'ai un fils de 3 ans à accueillir. » Selon le sociologue Jean-Michel Léger, cette nouvelle façon d'habiter ensemble était inenvisageable il y a vingt ans.

Parents solos, retraités actifs...

L'offre reste très inférieure à la demande, mais elle se structure. Les créatrices du site *Cotoiturage.fr* ont ainsi eu l'idée de mettre en relation les familles monoparentales. Pour une cohabitation réussie, pères et mères solos sont invités à se décrire : ordonné ou brouillon ? Fêtard ou casanier ? Plutôt cuisine ou boîtes de conserve ?

Les seniors n'échappent pas au mouvement : un nombre croissant d'entre eux se remettent sur le marché du logement, certains couples n'ayant notamment pas résisté à l'épreuve fatidique de la retraite. [...] D'autres couples prennent le large : la maison est troquée contre un camping-car. Des vacances perpétuelles, en récompense d'une vie de labeur... parfois au détriment de l'héritage, qui fond au soleil.

Le modèle du « chacun chez soi » a-t-il survécu ? Face au prix des terrains, de plus en plus de familles se regroupent autour d'un projet d'habitat. Les espaces communs y ont la part belle : chez ces nouveaux habitants, l'être compte autant que l'avoir.

Philippe Tarnier, *MAIF Magazine*, janvier 2016.

1 - Cochez la réponse juste.
Ce texte pourrait appartenir à la rubrique :   (1 point)

a. ☐ Technologie.

b. ☐ Société.

c. ☐ Fait divers.

2 - Cochez la réponse juste. Dans ce texte, l'auteur décrit principalement :
                                                                               (1 point)
a. ☐ les risques de devenir propriétaire d'un logement en France.

b. ☐ l'état actuel du marché français de l'immobilier.

c. ☐ de nouvelles façons de se loger dans un contexte instable.

3 - Vrai ou faux ?
Cochez la bonne réponse et recopiez la phrase ou la partie du texte qui justifie votre réponse. (3 points)

	V	F
a. Une majorité de Français souhaite devenir propriétaire de son logement. Justification :		
b. En Europe, c'est en Allemagne que le pourcentage de propriétaires est le plus élevé. Justification :		

4 - Que signifie l'expression « hors de portée » ? (1 point)

....

....

5 - Qu'est-ce qu'Internet a changé dans le comportement des acheteurs ? (1 point)

....

....

6 - Dans le texte, plusieurs raisons expliquent que la colocation progresse en France ?
Citez-en deux. (2 points)

a. ....

b. ....

7 - Vrai ou faux ?
Cochez la case correspondante et justifiez votre réponse en citant un passage du texte. (3 points)

	V	F
a. Des prestataires adaptent leur offre de services à de nouvelles situations familiales. Justification :		
b. Certains retraités vendent leur logement pour profiter de leur temps libre. Justification :		

8 - Expliquez avec vos propres mots l'expression suivante :
« l'être compte autant que l'avoir » (dernière phrase). (1 point)

....

....

....

....

PRÊT POUR L'EXAMEN

❶ Lire rapidement le questionnaire.
❷ Identifier les types de questions.
❸ Trouver les mots clés du titre et du chapeau.

Lisez ce texte puis répondez aux questions.

Création de parfums : la guerre des plantes a commencé

Elles s'appellent vétiver, fève tonka, rose centifolia, ylang-ylang des Comores, patchouli d'Indonésie, vanille de Madagascar… Ces plantes précieuses, essentielles à l'élaboration des parfums, font aujourd'hui l'objet d'une lutte féroce entre les industriels du secteur. Ceux-ci cherchent à se prémunir contre les ruptures d'approvisionnement, les aléas des cours ou une baisse de la qualité de 200 familles de plantes cultivées dans 40 pays dont ils ont besoin.

De multiples facteurs menacent en effet ces matières premières.

Des contrats attractifs

« Une violente chute des cours peut provoquer leur disparition », assure Hervé Fretay, directeur des naturels [les matières premières naturelles] pour la parfumerie chez Givaudan, le numéro un mondial de la création de parfums et d'arômes, qui fournit les plus grandes marques du secteur. Si le prix du patchouli en Indonésie baisse durablement, un fermier aura forcément tendance à lui préférer une culture vivrière, plus rentable et moins aléatoire, dit-il. *A contrario*, si le cours s'envole – comme celui de la vanille, qui a quintuplé ces dix derniers mois –, les parfumeurs préféreront utiliser de la vanille de synthèse. « Les agriculteurs ne sont pas non plus à l'abri d'une mauvaise récolte », ajoute M. Fretay. La sécheresse en Bulgarie explique l'envol du cours de la rose l'été dernier. « La recherche de main-d'œuvre, pour la cueillette, à un prix toujours plus bas se traduit aussi par des transferts de plantations du Maghreb en Égypte, puis en Inde ou en Chine », explique-t-il. […]

Lavande, ciste, ylang-ylang, benjoin…

Il y a dix ans, Givaudan a mis en place 8 programmes destinés à assurer de manière pérenne l'accès aux ingrédients fondamentaux pour ses 90 clients parfumeurs. « Notre idée était de consolider les filières les plus fragiles et d'investir dans la durée pour que les agriculteurs s'y retrouvent », explique M. Fretay. Au Venezuela, Givaudan s'est ainsi associé à une ONG qui veille à la protection de la faune et de la flore sur 140 000 hectares de forêts. De quoi lui donner un accès privilégié aux fèves tonka, reconnaissables à leur senteur d'amande et de tabac. En Indonésie, où il se fournit en patchouli, la majore suisse a mis au point un système de cartographie lui fournissant en temps réel l'offre et les prix de chaque fournisseur. […]

« Travailler avec les meilleurs producteurs »

IFF s'implique aussi très en amont dans la filière, pour optimiser la qualité des végétaux et rationaliser les méthodes agricoles. « Nous avons investi dans la mécanisation des récoltes, comme celle de l'iris, dont la récolte des rhizomes est particulièrement pénible, ou celle des narcisses en Lozère, des bourgeons de cassis en Bourgogne et tout récemment du vétiver cultivé en plaine à Haïti », explique Judith Gross. IFF a pour particularité de pratiquer des transferts de technologies avec ses partenaires de long terme, comme des producteurs de vétiver en Haïti, de rose en Turquie ou de géranium et de jasmin en Égypte.

« Depuis des années, nous travaillons dans le monde entier avec des partenaires exclusifs, souligne Julien Maubert de Robertet. C'est uniquement quand la filière est en danger ou présente un risque de traçabilité que nous nous installons sur place, *via* des coentreprises ou des filiales. » Le groupe français en a ouvert une quinzaine. « Nous sommes présents toute l'année en Turquie, où nous cultivons de la rose mais où nous avons aussi incité à planter de l'iris, de la lavande… Et nous traitons sur place des produits non frais qui ont voyagé, comme l'encens ou le maté », poursuit-il. […]

Nicole Vulser, *Le Monde Économie*, 4 février 2016.

1 - Cochez la réponse juste. Dans quelle rubrique classeriez-vous cet article ? `1 point`

a. ☐ Environnement.

b. ☐ Économie.

c. ☐ Société.

2 - Cochez la réponse juste. Quelle proposition résume le mieux la problématique
de ce texte ? `1 point`

a. ☐ Le monde de la parfumerie doit faire face à la disparition progressive de plantes précieuses,
ce qui impacte le prix d'achat des matières premières.

b. ☐ Des facteurs économiques et environnementaux influencent la stratégie des parfumeurs
en terme de production et de partenariat avec les producteurs de plantes précieuses.

c. ☐ La concurrence acharnée entre les industriels du secteur de la parfumerie a des répercussions
négatives sur la qualité des matières premières utilisées.

3 - Vrai ou faux ?

Cochez la case correspondante et justifiez votre réponse en citant un passage du texte. `3 points`

	V	F
a. On observe une concurrence intense entre les créateurs de parfums pour l'approvisionnement de plantes précieuses. Justification :		
b. Le prix de la vanille s'est effondré en quelques mois. Justification :		

4 - Selon l'auteur, plusieurs facteurs menacent la production de plantes précieuses.
Citez-en trois. `3 points`

....

....

5 - Que signifie l'expression : « de manière pérenne » (troisième paragraphe) ?
Répondez en justifiant avec des éléments du texte. `1 point`

....

6 - Le groupe Givaudan a mené des actions au Vénézuela et en Indonésie.

Relevez dans le texte le but de chacune de ces actions. (2 points)

– Vénézuela : ....

– Indonésie : ....

7 - Pourquoi le groupe IFF a-t-il opté pour « la mécanisation des récoltes » ? (1 point)

....

....

8 - Que font les industriels du parfum lorsqu'un partenariat exclusif ne fonctionne pas dans un pays ? (1 point)

....

....

PRÊT POUR L'EXAMEN

❶ Déterminer le thème du texte grâce aux mots clés du titre et du premier paragraphe.
❷ Lire rapidement le questionnaire et identifier les types de questions.
❸ Lire le texte sans chercher à tout comprendre.

2 Comprendre un texte argumentatif

Exercice 4

(12 points)

Lisez ce texte puis répondez aux questions.

La musique à l'école, une partition ardue

[…] L'apprentissage du savoir-écouter

À quoi cela sert-il d'enseigner la musique à des jeunes qui baignent dedans ? Tel est en résumé le défi des professeurs de musique au collège […]. L'investissement des élèves dans ce domaine culturel est en effet très fort, et ce depuis le boom musical des années 1960 et 1970 durant lesquelles les jeunes générations ont vu se développer un ensemble de médias les ciblant expressément. […] Dans ce contexte, l'objectif majeur de l'enseignement de la musique aujourd'hui consiste à redresser une pratique plutôt qu'à l'encourager (comme dans le cas des arts plastiques) ou à empêcher son déclin (comme pour la lecture) : il s'agit de modifier les habitudes d'écoute développées par les élèves, souvent distantes des canons de la légitimité scolaire et culturelle, pour les orienter vers des schèmes plus savants de perception et d'appréciation de la musique.

Cet apprentissage d'un savoir-écouter ne s'est imposé comme un objectif pour l'enseignement de la musique que depuis les années 1970 [...]. Désormais, les morceaux retenus doivent permettre aux élèves de balayer la plus grande diversité de styles possibles durant le cursus du collège, et notamment ceux qui sont supposés leur <u>être familiers</u>. [...]

Cela correspond également à une évolution – qui dépasse largement le cadre scolaire – de ce qu'être cultivé en matière de musique veut socialement dire : les catégories sociales à forts capitaux culturels tendent désormais à se distinguer davantage par des comportements relevant de l'éclectisme éclairé (balayant des genres différents, tout en étant sélectifs) que par la connaissance des répertoires les plus consacrés. Cette logique se retrouve dans les programmes, qui ont pour ambition de fournir aux élèves les outils pour aborder tous les genres musicaux, tout en sachant distinguer dans le lot les morceaux « de qualité », du point de vue de l'institution scolaire, de ceux qui présentent moins d'intérêt, toujours de ce même point de vue.

Culture scolaire et cultures juvéniles

Or, du fait de la place réduite de cette discipline à l'école (elle est enseignée à raison d'une heure par semaine en collège et est dotée des coefficients les plus faibles sur les bulletins scolaires), les prescriptions émanant d'autres scènes sociales (les amis, les médias, la famille) ont de grandes chances d'avoir beaucoup plus d'impact que celles portées par l'institution scolaire. D'autant plus que les élèves peuvent avoir du mal à saisir la portée de cet enseignement. Chez ceux qui sont le plus en difficulté, le fait d'étudier en classe un morceau de rap qui leur <u>est familier</u> peut ainsi leur laisser penser, si les objectifs ne sont pas clairement explicités, qu'il s'agit simplement de « passer un bon moment », et non de construire des savoirs sur la base de ce contenu musical.

[...] Pour les élèves des classes aisées, de par leurs sorties à des concerts de musique classique, leur fréquentation du conservatoire ou encore leur environnement musical familial, la probabilité qu'ils aient déjà une connaissance « pratique » des savoirs musicaux étudiés en cours peut en effet être source d'une vision dévalorisante de l'éducation musicale scolaire. [...]

Malgré ces difficultés, revenir à un enseignement basé sur un apprentissage traditionnel de l'histoire de la musique et du solfège ne correspondrait en rien aux compétences culturelles socialement valorisées aujourd'hui, aussi bien dans le cadre scolaire et universitaire que dans le monde du travail.

Florence Éloy (Maîtresse de conférence à l'université Paris 8-Vincennes-Saint Denis et membre de l'équipe Circeft-Escol), LES DOSSIERS d'*Alternatives Économiques*, hors série n°2 bis, décembre 2015.

▸ À la lecture du questionnaire, repérez les mots qui vous aident à comprendre la problématique du texte. Par exemple, dans le questionnaire suivant, le lexique de la musique (« musique », « musical », « répertoire », « solfège »...) et de l'éducation (« enseignement », « savoir-faire », « cours », « programme ») laissent supposer que la problématique concerne l'enseignement de la musique.

▸ À la lecture du texte, essayez de repérer les procédés de l'argumentation : comment l'auteur exprime son opinion, son accord ou son désaccord, comment il nuance son propos. Soyez attentif aux modes et temps de conjugaison. Par exemple, le conditionnel peut exprimer une condition, un regret, un reproche ; l'impératif exprime une injonction ou un conseil, etc.

1 - Cochez la réponse juste. Quel est le but de l'auteur de ce texte ? [1 point]

a. ☐ Nous informer sur l'évolution de l'enseignement de la musique.

b. ☑ Analyser les problématiques liées à l'enseignement musical actuel.

c. ☐ Critiquer la manière dont la musique est enseignée à l'école.

▸ N'oubliez pas qu'il s'agit d'un texte argumentatif. Le but de l'auteur n'est donc pas particulièrement d'informer le lecteur mais plutôt d'analyser une situation et/ou de donner son opinion. Le ton du texte vous aidera à répondre à la question : plutôt neutre, engagé, polémique... Parfois, on peut répondre en éliminant une voire deux propositions.

2 - Vrai ou faux ?
Cochez la case correspondante et justifiez votre réponse en citant un passage du texte. [3 points]

	V	F
1. Les jeunes générations sont peu sollicitées par les médias musicaux. Justification : *« Les jeunes générations ont vu se développer un ensemble de médias les ciblant expressément »*		X
2. En cours d'éducation musicale, les élèves découvrent de nombreux styles musicaux. Justification : *« Les morceaux retenus doivent permettre aux élèves de balayer la plus grande diversité de styles possibles »*	X	

▸ Lisez bien chaque proposition pour vous assurer que vous avez bien compris.
Retrouvez dans le texte la/les phrase(s) concernée(s) et choisissez la réponse qui convient. Puis sélectionnez la phrase ou le morceau de phrase que vous choisissez pour justifier votre réponse. N'oubliez pas les « .... ».

3 - Selon l'auteur, quel est l'objectif de l'enseignement musical actuel ? [1 point]

a. ☐ Faire apprendre aux élèves l'histoire de la musique.

b. ☐ Leur inculquer des savoir-faire techniques grâce au solfège.

c. ☑ Développer des capacités d'écoute et d'appréciation de musiques variées.

▸ Demandez-vous s'il s'agit d'une question de compréhension globale ou portant sur un élément du texte. Dans le deuxième cas, identifiez la partie du texte qui peut vous aider à répondre ou procédez par élimination.

4 - Que signifie l'expression « être familier à quelqu'un » ?
(soulignée deux fois dans le texte). [1 point]

Cela signifie que la personne est habituée à cette chose, qu'elle la connaît bien. Dans le texte, les élèves sont supposés connaître plusieurs styles musicaux, avoir l'habitude de les entendre. C'est la même chose avec le morceau de rap qu'ils ont certainement déjà entendu plusieurs fois.

▸ Si vous ne connaissez pas cette expression, relisez les deux phrases où elle est utilisée et essayez d'en dégager le sens global.

5 - Selon l'auteur, comment les programmes se sont-ils adaptés à l'évolution sociale de la culture musicale ? (1 point)

a. ☐ Les programmes prévoient que les élèves sélectionnent eux-mêmes les morceaux étudiés en classe.

b. ☐ Les programmes développent la capacité d'écoute des élèves sur des morceaux issus d'un répertoire musical classique.

c. ☒ Les programmes proposent des morceaux de tous genres sélectionnés en fonction de leur intérêt musical.

6 - Vrai ou faux ?
Cochez la case correspondante et justifiez votre réponse en citant un passage du texte. (3 points)

	V	F
1. La musique est considérée comme une matière accessoire dans les programmes du collège. Justification : _« Elle est enseignée à raison d'une heure par semaine en collège et est dotée des coefficients les plus faibles sur les bulletins scolaires »_	X	
2. L'école est le principal prescripteur de choix musicaux pour les jeunes. Justification : _« Les prescriptions émanant d'autres scènes sociales ont de grandes chances d'avoir beaucoup plus d'impact que celles portées par l'institution scolaire. »_		X

7 - Reformulez avec vos propres mots la phrase suivante : « Les élèves peuvent avoir du mal à saisir la portée de cet enseignement » (quatrième paragraphe). (1 point)

Les élèves ne comprennent pas toujours les objectifs des cours d'éducation musicale.

▸ Il s'agit d'une question de compréhension dont vous devez reformuler la réponse avec vos propres mots.
Reformulez en utilisant notamment des synonymes ou des expressions de même sens.
Si vous n'êtes pas à l'aise avec ce type de question, passez à la suivante et revenez sur celle-ci à la fin.

8 - Les élèves favorisés connaissent plus facilement les « savoirs musicaux étudiés en cours ». Relevez dans le texte deux raisons qui expliquent ce fait. (1 point)

Ils connaissent déjà les « savoirs musicaux étudiés en cours » de par leur environnement musical familial, la pratique d'un instrument ou des sorties à des concerts.

▸ Dans cette question, on vous demande de relever des informations du texte.
Retrouvez dans quelle partie du texte l'auteur parle de ces savoirs. On trouve parfois la réponse énumérée dans une seule phrase, parfois dans des phrases séparées.

CE QUE JE RETIENS

▸ Quel est l'objectif de l'auteur ? Le ton utilisé ?

▸ Quels connecteurs logiques aident à comprendre la structure du texte ?

▸ La question posée a-t-elle un sens global ou non ?

Lisez ce texte puis répondez aux questions.

Surveillés et consentants

La certitude d'être surveillés ne semble mettre aucun frein à la facilité avec laquelle nous nous confions aux réseaux numériques. Pour quelles raisons ?

Voici déjà quelques dizaines d'années, la mise en place par l'État français du fichier numérique EDVIGE centralisant de nombreuses données personnelles à usage policier souleva de virulentes protestations. Deux affiches avaient alors retenu mon attention. Sur la première, on pouvait voir : « En lisant cette affiche, tu cours le risque d'être fiché ! ». La seconde disait : « On gueule contre EDVIGE mais on est tous sur Facebook ! » Et tel est bien le paradoxe qui accompagne l'extraordinaire succès de la communication mobile, des réseaux sociaux et de manière générale de tous les usages numériques. On n'a jamais autant fait l'apologie de ces technologies et, dans le même temps, multiplié les alertes contre la traçabilité de nos déplacements, de nos navigations et du contenu même de nos communications.

Technologies indiscrètes

Certains, comme le sociologue Zygmunt Bauman, affirment crument que « nous faisons volontairement beaucoup de choses que les pouvoirs totalitaires cherchaient à imposer par la force et la violence ou la peur ». Le philosophe Giorgio Agamben considère, quant à lui, que les dispositifs technologiques dominants, comme le téléphone portable, sont en train de produire une perte d'individuation [...]. Quiconque se laisse prendre dans un dispositif comme un téléphone portable acquiert « un numéro au moyen duquel il pourra éventuellement, être contrôlé ». Pour autant, rien ne semble devoir freiner l'usage de cet instrument si pratique. Enfin, comme l'a souligné Armand Matelart, « une sorte d'accoutumance s'est créée qui a élargi les seuils de tolérance et a fait que beaucoup consentent, sans même parfois s'en apercevoir, des abandons importants de leur sphère privée et de leurs droits fondamentaux ». Pourquoi tolérons-nous si facilement d'être surveillés ?

Les réponses à cette question comportent plusieurs volets selon les types de communication, les contextes et les raisons invoquées par les acteurs. Considérons, par exemple, les réseaux sociaux, où chacun est amené à révéler les détails non seulement de sa vie privée (activités, achats, préférences) mais ceux de sa vie intime (opinions, goûts, amitiés, etc.). Ces technologies, censées être conviviales, sont susceptibles de nous trahir, auprès d'un employeur par exemple. Mais il serait trop simple d'attribuer la confiance des internautes à un simple processus d'aveuglement ou d'aliénation. [...]

Être vu et reconnu

Toute une représentation de l'être social se façonne autour d'une telle logique : l'envie de se donner à voir relève d'un désir de reconnaissance. Le cas de la télé-réalité le montre bien : ces jeunes gens prennent plaisir à être regardés 24 heures sur 24 et épiés dans leur intimité. Le sens de l'intime évolue considérablement à notre époque où la reconnaissance individuelle passe par le fait d'être vu et identifié par le plus grand nombre. Le psychiatre et psychanalyste Serge Tisseron parle à cet égard du « désir d'extimité » pour désigner le désir de faire reconnaître son originalité profonde. Le désir de dévoilement d'une « originalité intime » correspond au fait que l'on devient un individu par le regard des autres, quand on vit l'expérience d'être vu et reconnu. C'est un même désir de reconnaissance qui entraîne l'exposition de parts de soi sur les réseaux sociaux. [...]

Pierre-Antoine Chardel (Professeur de philosophie sociale et d'éthique à Télécom Ecole de Management), *Sciences Humaines*, n°275, novembre 2015.

1 - Cochez la réponse juste. Quel est l'objectif de l'auteur ? `1 point`

a. ☐ Alerter sur les risques liés au contrôle de nos données personnelles sur Internet.

b. ☐ Analyser une situation paradoxale liée à l'utilisation des technologies numériques.

c. ☐ Critiquer le comportement des utilisateurs sur les réseaux sociaux.

2 - Cochez la réponse juste. Quelle phrase résume le mieux le premier paragraphe `1 point`
(« Voici déjà... nos communications ») ?

a. ☐ Les usages numériques se développent avec succès mais menacent notre intimité.

b. ☐ L'État français met en place des contrôles de données informatiques pour la sécurité nationale.

c. ☐ La communication mobile connaît aujourd'hui un succès phénoménal.

3 - Cochez les deux réponses justes. `2 points`
Les arguments de l'auteur sont :

a. ☐ historiques. b. ☐ sociologiques. c. ☐ économiques. d. ☐ politiques. e. ☐ psychologiques.

4 - Vrai ou faux ? Cochez la case correspondante et justifiez votre réponse `4,5 points`
en citant un passage du texte.

	V	F
a. Les utilisateurs des technologies numériques se sentent contraints de donner des informations privées. Justification :		
b. Le téléphone portable est potentiellement un objet de surveillance. Justification :		
c. Afficher sa vie privée sur les réseaux sociaux peut être risqué d'un point de vue professionnel. Justification :		

5 - Reformulez avec vos propres mots la pensée de l'auteur dans la phrase suivante : `1,5 point`
« Beaucoup consentent, sans même parfois s'en apercevoir, des abandons importants
de leur sphère privée ».

....

6 - Selon l'auteur, que révèle la télé-réalité d'un point de vue social ? `1 point`

....

....

7 - Cochez la réponse juste. `1 point`
Quelle définition correspond le mieux au « désir d'extimité » ?

a. ☐ Se montrer en public.

b. ☐ Protéger son intimité.

c. ☐ Révéler son originalité intime.

Lisez ce texte puis répondez aux questions.

Les marques de luxe ont-elles tué leurs produits ?

On dit que le luxe est éternel, et pourtant, quelle évolution depuis quarante ans ! À la fin des années 1970, la renommée d'une marque de luxe était fondée sur la maîtrise d'un métier ou d'un « art de faire » parfois ancestral. À chaque maison correspondait un type d'objet qui représentait l'expression la plus authentique de la marque. La signature du produit constituait par extension sa garantie : le produit était le héros.

Au début des années 1980, une évolution radicale s'est opérée en raison de la mondialisation des styles de vie et de la diffusion instantanée des modes, de l'essor économique du Japon combiné à l'explosion du tourisme […] Pour mieux séduire une clientèle voyageuse, les marques ont renvoyé une image aussi synthétique et unifiée que possible, exprimant à la fois un produit, un métier, un pays et un style original. Le produit a cédé insensiblement la vedette à la marque et a cessé d'être le héros du message.

D'essentiel, le produit est devenu accessoire

C'est ainsi que, pour augmenter leur visibilité, Cartier, Boucheron et Bulgari se sont lancés dans le parfum et Dunhill et Montblanc se sont convertis à la maroquinerie, au textile ou à l'horlogerie. […] À partir des années 1990, trop de marques de luxe ont perdu le contrôle de leurs gammes par opportunisme, offrant sous une même ombrelle une constellation de produits dérivés et de licences à tout-va. Ce n'est pas un hasard si Hermès n'a jamais vendu de lunettes… […] Ce que le produit avait ainsi perdu en valeur intrinsèque, il importait de le restituer par une stratégie de « marque-spectacle » : packaging ostentatoire, boutiques « flagship » (autrement appelées « magasins phares ») et opérations de relations publiques tonitruantes. L'image s'est substituée au produit. D'essentiel, celui-ci est devenu accessoire.

Nous voici donc dans l'ère du luxe éphémère et du profit à court terme. Tous les stratagèmes sont bons pour concilier exclusivité et croissance, depuis les sous-marques de diffusion (pas moins de 14 pour Ralph Lauren !) jusqu'aux « villages outlets » qui, de simples canaux d'écoulement des invendus, sont devenus un réseau à part entière.

Baisse de légitimité

Cette course frénétique engendre des risques majeurs : confusion entre le produit de luxe et les produits « tendance » ; baisse de légitimité due à la prolifération des gammes ; perte d'exclusivité et de contact avec la clientèle ; saturation face à l'omniprésence de produits mal portés ; dispersion des ressources et érosion des marges. Face à ces excès, les marques doivent procéder à un examen de conscience et définir les valeurs sur lesquelles fonder désormais leur développement. En termes de produits, elles peuvent jouer l'extension de marque à travers l'accessoire de mode éphémère, soutenu par une fuite en avant des collections… au risque de frôler l'overdose. Ou bien, elles peuvent miser sur le long terme en se concentrant sur leur cœur de métier, la fabrication dans le pays d'origine et l'approvisionnement durable des matières. […] En termes de distribution, elles peuvent ou bien privilégier une expansion internationale rapide à travers un vaste réseau d'intermédiaires franchisés ou licenciés, limitant ainsi le risque financier… au risque de perdre le contrôle de la marque ; ou bien se développer « à petits pas » en intégrant la distribution, en visant en priorité les mégalopoles et les clientèles internationales qui voyagent. […]

Laurent Grosgogeat (consultant en management des marques de luxe), *Le Monde Économie*, 14 janvier 2016.

1 - Cochez la réponse juste.
Dans quelle rubrique de journal peut-on lire cet article ?

a. ☐ La rubrique « mode ».   b. ☐ La rubrique « voyage ».   c. ☐ La rubrique « économie ».

2 - Cochez la réponse juste. Quel est le ton de l'auteur ?

a. ☐ Neutre.   b. ☐ Critique.   c. ☐ Ironique.

3 - Quel phénomène va bouleverser le monde du luxe dans les années 1980 ?
Justifiez votre réponse.

....

4 - Vrai ou faux ?
Cochez la case correspondante et justifiez votre réponse en citant un passage du texte.

	V	F
a. Dans les années 1980, des marques de luxe se sont diversifiées dans de nouvelles activités. Justification :		
b. Elles ont par la suite bien maîtrisé le développement de leurs produits dérivés. Justification :		

5 - Dans les années 1990, les marques de luxe font beaucoup de « spectacle ».
Relevez dans le texte deux moyens qui illustrent cette nouvelle stratégie.

....

....

6 - Cochez la réponse juste.
Quelle phrase résume le mieux l'évolution du produit de luxe en 40 ans ?

a. ☐ Le produit de luxe a perdu sa place au profit de l'image de marque et du gain rapide.

b. ☐ Le produit de luxe est mis en avant dans les stratégies successives des marques de luxe.

c. ☐ Le produit de luxe assure encore des marges croissantes par sa renommée et son effet de mode.

7 - Cochez la réponse juste.
Comment l'image des marques de luxe a-t-elle globalement évolué ces dernières années ?

a. ☐ Elle s'est améliorée.

b. ☐ Elle s'est dégradée.

c. ☐ Elle n'a pas changé.

8 - Quelle stratégie en terme de produit l'auteur propose-t-il pour l'avenir ?

....

....

....

PRÊT POUR L'EXAMEN

❶ Parcourir rapidement le questionnaire.
❷ Lire le texte sans chercher à tout comprendre.
❸ Pour reformuler, s'entraîner à la nominalisation et à la recherche de synonymes.

PRÊT POUR L'EXAMEN !

Communication

- Argumenter
- Conseiller / mettre en garde
- Décrire une pensée abstraite
- Décrire un fait de société
- Exprimer une opinion

Socioculturel

▸ Le ton d'un texte (narratif, informatif, argumentatif)

▸ La langue de spécialité

Grammaire

Les articulateurs logiques

La modalisation
(emploi des modes et
temps de conjugaison)

Les formes impersonnelles
(il est certain, il est probable...)

Verbes / adjectifs +
prépositions

STRATÉGIES

1. Avant de lire un texte, j'identifie d'abord la source et je repère les mots importants du titre et du chapeau pour préparer le contexte.

2. Quand je lis un texte, je repère les articulateurs du texte et j'identifie le ton de l'auteur (neutre, engagé, ironique, polémique...).

3. Je reformule avec mes propres mots les idées, les arguments lus dans le texte.

4. J'enrichis mon vocabulaire :
– je cherche et j'utilise des synonymes (mots ayant la même signification) / antonymes (contraires) ;
– quand je découvre un mot, je cherche ses différentes significations ;
– je cherche des mots de la même famille et je m'entraîne à la nominalisation (transformation d'un verbe en nom).

Vocabulaire

▸ Culture
▸ Économie
▸ Éducation
▸ Entreprise/travail
▸ Environnement
▸ Politique
▸ Santé

Décrire un fait de société

Un fait
Un événement
Une circonstance
Une situation
Arriver, se produire, avoir lieu
Provoquer, avoir pour conséquence
Les faits se sont déroulés ainsi : ...
Il est à noter que...
L'auteur observe que...
Il fait remarquer que...
Constater
Vérifier
Démontrer

Décrire une pensée abstraite

L'auteur nous sensibilise au fait que...
Il attire l'attention sur...
Ce qui est intéressant, c'est que...
Soulever un problème
Un point de vue
Une opinion
Une perspective
Une notion
Un concept
Un aspect
Un phénomène
Une méthode
Un moyen

Une démarche
Un procédé
Penser, concevoir, réfléchir
Expliquer
Supposer
Déduire
Conclure

Conseiller, mettre en garde

Je vous recommande de lire ce livre.
Vous feriez mieux d'acheter vos billets d'avion à l'avance.
Je vous préviens que le temps va se dégrader.
Méfiez-vous des offres trop alléchantes.

Exprimer une opinion

Si vous voulez mon avis, vous prenez trop de risque.
J'estime que cette décision est juste.
Je suis (entièrement/en partie) d'accord avec vous.
Peu importe (neutralité).
Je désapprouve votre décision (désapprobation).

Argumenter

En règle générale, ...
À vrai dire, ... / Il est vrai que...
Ça prouve que...
De plus, ... / en plus, .../ non seulement..., mais...

Étant donné que... / Comme...
Par conséquent, ... / C'est la raison pour laquelle...
En revanche, ... / Au contraire, ...
Bien que + subjonctif / Même si + indicatif / malgré / en dépit de
Effectivement
En tout cas
De toute façon
Quoi qu'il en soit
Après tout
En définitive
Finalement
Tout bien considéré

Exprimer la certitude / la possibilité, l'éventualité

Certainement
Sûrement
Éventuellement
Probablement
Vraisemblablement
Certain
Sûr
Inévitable
Envisageable
Éventuel
Probable
Vraisemblable
Envisager de
Imaginer
Il se peut / Il se pourrait que + subjonctif

Je suis prêt ?

1. Est-ce que je sais donner mon avis en argumentant, en illustrant avec des exemples liés à mon expérience ou à ma connaissance du monde contemporain ?

2. Est-ce que je suis capable de dire les avantages et les inconvénients de différentes situations du quotidien ?

3. Est-ce que je sais repérer la structure d'un texte, les relations logiques entre les idées de son auteur ?

4. Est-ce que je sais reformuler des expressions ou des phrases avec mes propres mots ?

PRÊT POUR L'EXAMEN !

 À faire

AVANT L'EXAMEN

- ☐ **lire** la presse francophone **(Internet, journaux)**
  pour se familiariser aux styles informatif et argumentatif
- ☐ **réviser** le vocabulaire **du monde contemporain,**
  concret et abstrait
- ☐ **réviser** la syntaxe **du français :** les formes impersonnelles,
  les modalisateurs, les articulateurs logiques

LE JOUR DE L'EXAMEN

- ☐ bien gérer son temps, consacrer environ
  une demi-heure par exercice
- ☐ lire rapidement le questionnaire avant le texte
- ☐ identifier le thème général et les types de questions
- ☐ lire le texte en détail, sans bloquer sur les mots
  ou phrases qui paraissent difficiles
- ☐ répondre aux questions dans l'ordre
- ☐ retrouver la partie du texte concernée
  par chaque question, s'assurer de bien
  comprendre le contexte et rédiger la réponse
- ☐ en cas de blocage, passer à la question suivante
  et y revenir plus tard

Production
écrite

COMPRENDRE

L'ÉPREUVE

La production écrite est la troisième épreuve collective de l'examen du DELF B2.

Durée totale de l'épreuve	**1 heure**
Nombre de points	**25 points**
Nombre d'exercices	**1 exercice**
Nombre de documents à écrire	**Un document : une lettre formelle ou une contribution à un débat**
Quand commencer à écrire ?	**Après avoir lu le document déclencheur, analysé la consigné et réfléchi aux éléments à écrire**
Combien de mots écrire ?	**250 mots minimum**

Objectifs de l'exercice

Exercice   **Prendre position et argumenter son point de vue**

LES SAVOIR-FAIRE

Il faut principalement être capable de :

Présenter clairement des faits

Formuler des arguments avec des exemples dans un plan logique et cohérent

▸ introduction : Quel sujet ?
▸ développement : Quelle(s) question(s) ? quelle(s) réponse(s) ?
▸ conclusion : Quelle opinion personnelle ?

Faut-il bannir la technologie sans-fil ?
Des tests ont démontré que les ondes électromagnétiques des téléphones portables et du wifi causent des dommages au cerveau des enfants.
Selon moi, la législation doit être renforcée ainsi que la prévention.
Nous, parents, devons être informés et nous mobiliser face à cette situation intolérable !

Convaincre

LES EXERCICES ET LES DOCUMENTS

	Supports possibles	Type d'exercice	Nombre de points
Exercice **Écrire une lettre formelle** **Contribuer à un débat**	Lettre de motivation, lettre de protestation, courrier des lecteurs, article, forum, blog	Un courrier / une lettre formelle Un essai /un texte critique Une participation à un débat	25 points

LA CONSIGNE

Dans l'épreuve du DELF B2, il y a une consigne, avec parfois un texte déclencheur (extrait d'un forum, d'un article).
Elle donne la situation de l'activité et vous indique quel type de production vous devez écrire (lettre, texte pour le courrier des lecteurs, contribution à un forum...).

LES RÉPONSES

Il faut écrire une correspondance (lettre de motivation, lettre de protestation, de réclamation) ou une participation à un débat (courrier des lecteurs, forum).
L'objectif est de donner votre point de vue et de convaincre le destinataire.
Vous devez présenter des faits et un contexte dans un texte construit et cohérent avec trois ou quatre parties distinctes.
Vous devez proposer des arguments/idées et veiller à bien expliciter le lien entre votre exemple et l'argument que vous voulez développer.
L'examinateur doit comprendre le déroulement de votre argumentation grâce à des connecteurs et des articulateurs logiques (*tout d'abord, ensuite, enfin*) et les liens entre chaque paragraphe.
Le nombre de mots doit être respecté : au minimum 250 mots.

CONSEILS

- Faire une lecture attentive de la consigne et du document déclencheur.
- Repérer les verbes de la consigne pour utiliser les fonctions de la langue adaptées à la situation (nuancer, protester, etc.).
- Noter votre plan et vos idées sur une feuille de brouillon.
- Respecter les codes culturels pour s'adresser à votre destinataire.
- Prendre 5 minutes pour vous relire à la fin.

1 Comprendre le sujet

▬ Comprendre la consigne

Activité 1

Lisez le sujet et posez-vous les questions : Qui écrit ?
À qui ? Quoi ? Observez le tableau avec les réponses et
soulignez ces informations dans la consigne du sujet.

Sujet :

Vous décidez d'écrire au courrier des lecteurs d'un
magazine de mode pour donner votre opinion sur le
recours à la chirurgie esthétique. Vous faites part de
votre expérience et vous insistez sur les avantages et
les inconvénients. (250 mots environ)

Vous êtes...	Vous écrivez parce que...	À qui écrivez-vous ?	Vous écrivez pour...
Un lecteur de magazine.	Vous participez à un débat.	Au courrier des lecteurs.	Donner votre opinion dans un forum/un journal.

Activité 2

Lisez les sujets suivants et complétez le tableau d'après l'exemple du sujet 1.

Sujet 1 :

Vous travaillez dans une entreprise francophone. Vous recevez de plus en plus de mails
professionnels après 19 heures et votre hiérarchie vous reproche de ne pas répondre assez
rapidement. Vous arrivez très tôt le matin et repartez très tard le soir. Vous avez une charge de
travail trop importante. Vous écrivez une lettre de protestation à votre directrice en lui expliquant
la situation. Vous rappelez votre fonction. Vous lui faites part de vos inquiétudes sur les dangers
du burn-out et sur l'absence de limites entre la sphère privée et la sphère professionnelle. Vous
lui proposez différentes solutions. Vous exposez votre point de vue dans un texte argumenté et
illustré d'exemples précis. (240 à 260 mots)

Sujet 2 :

Vous décidez de donner votre position sur la mode des selfies. Vous êtes convaincu que ce phénomène mondial est un concentré d'égocentrisme et de narcissisme. Vous écrivez un message à
poster sur un forum en expliquant votre opinion dans un texte argumenté et illustré d'exemples
précis. (250 mots environ)

Sujet 3 :

Vous avez lu dans un journal un reportage choquant sur les pratiques du service des ressources
humaines d'une entreprise de luxe renommée. Cette entreprise fabrique des vêtements très chers
à partir de produits bas de gamme. Vous écrivez au courrier des lecteurs du journal pour partager votre indignation et proposer des solutions. Vous exposez votre point de vue dans un texte
argumenté et illustré d'exemples précis. (250 mots environ)

	Sujet 1	Sujet 2	Sujet 3
Qui écrit ? Un citoyen Un internaute Un employé Un lecteur de quotidiens Un candidat pour un poste Un client	*Un employé (dans une société francophone)*	....	....
Pour qui ?	*La directrice*	....	....
De quoi on parle ?	*L'absence de limites entre la sphère privée et la sphère professionnelle*	....	....
Types d'écrits : **Débat :** forum, courrier des lecteurs **Lettre formelle :** lettre de plainte/réclamation/protestation/ de réponse/de motivation/proposition de projet/demande de renseignement	*Lettre de protestation*	....	....
Mots clés	*Privé/professionnel Dangers/solutions Burn-out*	....	....
J'écris pour... Faire une réclamation Faire une demande officielle Participer à un débat Exprimer une conviction Convaincre Contester un fait Refuser quelque chose Proposer une alternative	*Faire une réclamation* *Proposer une alternative*	....	....
J'écris parce que...	*Je souhaite alerter ma hiérarchie et proposer des solutions.*	....	....

Activité 3

Pour éviter d'être hors sujet et identifier le type de texte attendu, la compréhension de la consigne est essentielle. Lisez le sujet et posez-vous toujours les questions suivantes :

Sujet :

Vous n'êtes pas satisfait de votre opérateur téléphonique. Vous écrivez au service commercial pour mettre fin au contrat et vous expliquez les raisons de votre déception. (250 mots environ)

1 - Qui écrit ?

....

2 - À qui ?

....

3 - Quel est le thème ?

....

4 - Quelle forme doit prendre votre texte ?

....

5 - Vous écrivez pour :

....

6 - Vous écrivez parce que :

....

▬ Définir une problématique

Activité 4

En visite à Londres jeudi, le ministre de l'Éducation a vanté les <u>mérites</u> de l'uniforme des écoliers britanniques, un « <u>facteur d'intégration</u> » à ses yeux. Il ne souhaite pas pour autant <u>imposer</u> le retour de la blouse grise. Il s'agirait plutôt d'un « tee-shirt siglé qui signale <u>l'appartenance</u> à l'établissement », comme c'est déjà le cas dans les DOM-TOM. Et la décision reviendrait aux responsables d'établissement.

Ce « retour à l'uniforme » a suscité de nombreuses réactions parmi les internautes du *Parisien* et d'*Aujourd'hui en France*. Une majorité écrasante se prononce en sa faveur, notamment au nom du <u>principe d'égalité</u> entre les élèves.

1 - Lisez le texte. Cherchez les mots clés qui répondent aux questions « Quoi ? Qui ? Quand ? ». Cochez le thème traité.

☐ L'intégration en France.

☐ L'égalité dans les écoles.

☐ L'évolution de l'uniforme.

2 - Pour trouver la question centrale que soulève le sujet, posez-vous des questions comme *Quel est le problème soulevé dans ce sujet ? Quelle est l'idée générale ?*
Cochez la question centrale du sujet.

☐ Est-il encore nécessaire de porter un uniforme aujourd'hui ?

☐ L'uniforme, un choix politique ?

☐ L'uniforme, histoire et symbole ?

Activité 5

Télétravail en France, quelle incompatibilité ?

Les Français semblent favorables au télétravail. Ils affirment : « Le télétravail, c'est green, c'est dans un esprit de développement durable, c'est écologique » ou « Les salariés sont plus autonomes ainsi ; les temps de transport sont fortement réduits et permettent de travailler davantage ».

Cette forme de travail n'aurait ainsi que des bénéfices : risques psychosociaux limités, accroissement de la flexibilité et de la productivité, attractivité et fidélisation des employés, gain de temps et économies d'espace. Terme utilisé depuis les années 1990, sa pratique est désormais encadrée par la loi depuis le 22 mars 2012. Alors pourquoi seuls 12 % des salariés français télétravaillent-ils ?

D'après http://revolution-rh.com

Lisez le texte. Cherchez les mots clés qui répondent aux questions « Quoi ? Qui ? Quand ? ».
Dites quel est le thème traité et identifiez la problématique.

Mots clés	Thème	Problématique
....	....	....
....	....	....
....	....	....

Activité 6

Sujet :
Vous décidez de donner votre opinion sur l'interdiction des cigarettes électroniques dans les lieux publics.
Vous écrivez un message à poster sur un forum en exprimant vos sentiments dans un texte argumenté et en précisant les raisons de votre position. (250 mots environ)

Lisez le sujet. Relevez les mots clés, le thème et relevez les actes de parole attendus. Répondez à la question « Pourquoi dois-je écrire ? »

....
....
....

2 Organiser une argumentation

▬ Faire bouillir ses idées

Activité 7

Lisez le sujet et complétez le tableau pour trouver des idées et des exemples.

Il ne faut pas mettre tous les œufs dans le même panier

Sur mon réseau social, les amis c'est comme les œufs, je ne les mets pas tous dans la même liste.

Les bons comptes font les bons amis

Si je gère bien mon compte, je n'aurai pas de problèmes avec mes amis en ligne.

D'après www.ereputation.paris.fr

Sujet :
Vous découvrez les slogans d'une campagne de prévention sur les dangers des réseaux sociaux chez les adolescents. Vous partagez cette opinion. Vous pensez que les réseaux sociaux peuvent être utiles mais qu'une éducation aux médias est indispensable. (250 mots environ)

1 - Notez des idées en vrac sur le sujet (nom, verbe, synonymes, antonymes, etc.). Exemple :	Associez ces idées. Exemple :
2 - Recherchez des mots clés (Quoi ? Qui ? Quand ?) et expliquez-les. Exemple :	Opposez ces mots clés. Exemple :
3 - Formulez des questions sur le sujet pour associer des idées. Exemple :	Associez des idées à ces questions. Exemple :
4 - Cherchez des exemples pour illustrer ces idées. Exemple :	Complétez vos idées avec différentes perspectives : historique, géographique, culturelle, etc. Exemple :

Activité 8

Pour rédiger une argumentation, il faut trouver et rassembler des idées.
Lisez le texte et entraînez-vous avec différentes techniques (vrac, association, opposition)
à noter toutes les idées qu'il vous inspire.

Les animaux sont des « êtres vivants doués de sensibilité », c'est ce que vient de reconnaître le Parlement le 28 janvier 2015.

Toutefois, force est de constater que cela ne changera pas les comportements envers les animaux, qui pourront toujours être vendus, loués, exploités... En effet, les pratiques les plus cruelles, comme la corrida, la chasse à courre, les combats de coqs ou certaines formes de pêche ou d'élevage intensives, ne sont pas du tout remises en cause.

Y-aura-t-il une fin à cette souffrance animale ? C'est d'abord un débat sociétal qu'il faut avoir, et une discussion avec les éleveurs, les chasseurs, les pêcheurs, les chercheurs... Il ne s'agit pas de remettre totalement en cause nos modes de vie du jour au lendemain, mais de déjà poser des garde-fous pour éviter les pratiques les plus choquantes et les moins respectueuses des animaux.

• Mots clés : ....

• Problématique : ....

• Thème : ....

• Animaux : ....

Reprenez ou opposez les mots clés :

....

....

Vous pouvez aussi envisager différentes perspectives :

• Historique : ....

....

• Géographique : ....

....

• Scientifique : ....

....

• Agricole : ....

....

• Diététique : ....

....

— Organiser des arguments et des exemples

Activité 9

À partir des arguments en faveur de l'uniforme, trouvez des arguments contre.

POUR	CONTRE
a - L'uniforme crée un sentiment d'appartenance et renforce l'esprit d'équipe.	....
b - L'uniforme réduit l'écart entre les classes sociales.	....
c - L'uniforme permet aux parents de faire des économies.	....
d - L'uniforme diminue la violence, l'intimidation, le racket.	....
e - L'uniforme permet de se fondre dans le groupe et d'effacer les différences.	....

Activité 10

Classez dans le tableau les opinions sur le sujet « Faut-il donner de l'argent de poche aux adolescents ? ».

Opinion 1 :
« Je crois que recevoir de l'argent de poche est une grande étape dans la vie d'un enfant ou d'un ado, un signe d'autonomie. Cela permet d'apprendre la gestion d'un budget, la notion d'épargne... Cela s'avère très utile car, dans le "monde adulte", l'argent tient une place essentielle. »

Opinion 2 :
« Je suis convaincu qu'il ne faut jamais accorder d'avance ou de rallonge, sinon l'effet pédagogique est nul et l'enfant peut croire que l'argent est une ressource qui coule à flot sans contrepartie. »

Opinion 5 :
« Il n'existe pas de somme idéale, tout dépend de ce que l'argent de poche permet de s'acheter : seulement les loisirs ou aussi des choses "utiles", comme les produits de beauté, les vêtements ? »

Opinion 3 :
« Il ne faut pas juger les dépenses de nos ados : tant pis s'ils craquent pour un gadget qui sera cassé deux heures plus tard, cela fait partie de l'apprentissage... et cela vous permettra de lui parler de la valeur des choses ! »

Opinion 4 :
« Tout travail mérite salaire donc si un adolescent tond la pelouse ou lave la voiture de ses parents, il me paraît légitime qu'il reçoive une compensation financière. »

Accord	Désaccord	Nuance
....	....	....

Activité 11

Trouvez des exemples pour illustrer l'idée exprimée dans cet article.

Le papier contre l'électronique

Lit-on de la même manière sur le support papier que sur le support électronique ? Le débat commence à être ancien : on pourrait le faire remonter aux critiques de Socrate à l'encontre de l'écriture à une époque où la transmission du savoir se faisait uniquement de manière orale. La question se pose également en terme de conflit depuis la naissance de l'hypertexte, comme l'évo-  quait Christian Vandendorpe dans *Du papyrus à l'hypertexte*. Un peu comme si deux mondes s'affrontaient : les anciens et les modernes. Ceux pour qui le papier est un support indépassable et ceux pour qui le changement, la bascule de nos connaissances vers l'électronique, à terme, sont inévitables.

Hubert Guillaud, *http://books.openedition.org*

– Idée exprimée : ....

– Exemple culturel (film, livre...) : ....

– Exemple personnel/situation vécue (témoignage) : ....

– Exemple se référant à votre zone géographique : ....

▬ Élaborer un plan

Activité 12

Remettez le plan en deux parties ci-dessous dans le bon ordre (8 items) afin de répondre au sujet. Distinguez les idées principales, les arguments et les exemples.

La situation aujourd'hui dans les écoles - Enseignement certes souvent inefficace - Conséquences Réforme négative - Création d'inégalités - Pouvoir s'offrir des cours de langues, des séjours linguistiques - Difficultés face à un monde globalisé - Travail, études (programme Erasmus).

Sujet : Le ministère de l'Éducation a décidé de supprimer l'apprentissage des langues étrangères au profit de cours de programmation informatique. Exposez votre opinion dans un essai argumenté de 250 mots environ.

	Idées principales	Arguments (idée générale pour justifier un point de vue)	Exemples (cas concret qui renforce l'argument)
Partie 1	....	1. .... 2.	1. .... 2. ....
Partie 2	....	1. .... 2.	1. .... 2. ....

Activité 13

À partir de l'inventaire des différentes façons de trouver des idées et d'élaborer un plan, lisez les sujets et recherchez le plus d'arguments possibles.

LES DIFFÉRENTS TYPES DE PLAN

• **Par opposition ou comparaison :**

	Partie 1	Partie 2
A	Pour	Contre
B	Les avantages	Les inconvénients
C	La situation en France	La situation dans votre pays
D	La situation passée	La situation actuelle

• **Le plan thématique : on aborde successivement les différents aspects du problème.**

Partie 1	Partie 2	Partie 3
Aspects économiques	Aspects culturels	Aspects historiques

• **Le plan construit par raisonnement :**

	Partie 1	Partie 2
A	La situation	Ses causes/ses conséquences
B	Les problèmes	Les solutions

Sujets :
– Pour ou contre les fraises en hiver ?
– Pour ou contre la féminisation des métiers ?
– Pour ou contre les zones piétonnes en centre-ville ?

PLAN

Thème général : ....

Idée essentielle 1 :	Idée essentielle 2 : ....
Mots clés :	Mots clés :
....	....
....	....
....	....
↓	↓
Idée secondaire 1 :	Idée secondaire 1 : ....
Idée secondaire 2 :	Idée secondaire 2 : ....
Idée secondaire 3 :	Idée secondaire 3 : ....

3 Rédiger un texte argumentatif

— Comprendre le modèle de la lettre formelle

Activité 14

Observez le modèle type de lettre formelle suivant.
Elle se compose d'une introduction, d'un développement en 2/3 parties et d'une conclusion :

– coordonnées de l'expéditeur ❶
– coordonnées du destinataire ❷
– lieu et date ❸
– objet de la lettre, référence ❹
– formule d'appel ❺
– corps de la lettre ❻
– formule de politesse ❼
– signature ❽

❶   ❷

❸

Objet : ❹

Madame, Monsieur, ❺

❻

❼
Sincères salutations   ❽

Associez un numéro à chaque élément du tableau.

	S. Blanque
	sylvain.blanque@gmail.com
	Sylvain Blanque 80, rue de Paris 72040 La Flèche
	La Flèche, le 16 juin 2016
	Objet : demande de remboursement
	Madame, Monsieur
	Veuillez agréer, Madame, Monsieur, mes salutations distinguées.
	Bons plans Voyages - Service commercial - 25 allée des cerisiers - 95050 - Cergy

Activité 15

1 - Associez chaque destinataire à la formule d'appel correcte.

A. Jacques DELTOR, maire de votre ville • • **1.** Madame,

B. Pierre VISSE, directeur de la revue… • • **2.** Madame la Directrice,

C. Agnès BUSSON, directrice de l'entreprise dans laquelle vous travaillez • • **3.** Monsieur le Maire,

D. Julie DOME, responsable de la sélection des groupes amateurs pour le festival de musiques traditionnelles • • **4.** Monsieur le Directeur,

2 - Associez chaque destinataire au bon début de lettre.

A. Jacques DELTOR, maire de votre ville • • **1.** Je viens de lire avec un grand intérêt l'article sur le danger des nanoparticules…

B. Pierre VISSE, directeur de la revue… • • **2.** Suite à l'annonce parue dans la revue *Folk mag*, …

C. Agnès BUSSON, directrice de l'entreprise dans laquelle vous travaillez • • **3.** Venant de prendre connaissance des nouveaux dysfonctionnements du ramassage des déchets, je me permets de vous écrire...

D. Julie DOME, responsable de la sélection des groupes amateurs pour le festival de musiques traditionnelles • • **4.** Nous venons, mes collègues du service des ventes et moi-même, d'être informés de l'ouverture du magasin le dimanche…

Activité 16

Associez chaque fin de lettre à la bonne situation.

A. En espérant que notre candidature retiendra votre attention, • • **1.** nous vous prions de recevoir, Madame la Directrice, nos salutations respectueuses.

B. Dans l'attente d'une solution que j'espère rapide et efficace, • • **2.** je vous prie d'agréer, Monsieur le Maire, l'assurance de ma considération distinguée.

C. Je vous remercie pour votre attention, et j'espère que cette modeste lettre contribuera à faire avancer le débat. • • **3.** Recevez, Monsieur le Directeur, mes salutations distinguées.

D. En vous remerciant par avance pour l'attention que vous voudrez bien prêter à notre requête, • • **4.** veuillez agréer, Madame, nos cordiales salutations.

Activité 17

Lisez le sujet et rédigez un début de lettre de protestation avec la bonne formule d'appel.

Sujet : La présidente de votre région souhaite ouvrir un centre d'enfouissement de déchets radioactifs. Vous êtes le porte-parole du comité contre l'implantation du site, et vous écrivez à la présidente de la région pour la faire changer d'avis en lui présentant les dangers d'un tel projet.

....

....

▬ Rédiger une introduction

Activité 18

Une introduction se compose de quelques lignes avec trois parties :

1. Introduire le sujet ;
2. Définir la problématique ;
3. Annoncer le plan.

Lisez les introductions suivantes. Retrouvez le thème, la problématique et le plan.

> **Introduction 1 :**
> En mon nom et au nom de l'association « Amis du quartier », je me permets de vous écrire pour manifester notre mécontentement face à l'absence de parking sécurisé pour vélos dans notre quartier. Comme vous le savez, nous avons constaté que les vélos sont fréquemment volés, surtout le soir et que vous n'avez rien fait pour mettre fin à ce désagrément.

Thème : ....

Problématique : ....

Plan : ....

> **Introduction 2 :**
> L'art recouvre de nombreux domaines et disciplines. Il apparaît bien souvent comme élitiste car on considère qu'il faut certaines connaissances (techniques, historiques) et qu'il demande une certaine réflexion.
> Mais comprendre est-il nécessaire pour apprécier une œuvre d'art ?
> Nous verrons dans notre première partie que d'un point de vue académique, il est nécessaire d'avoir un bagage culturel.
> Dans un deuxième temps, nous verrons les barrières qui empêchent une démocratisation de l'art.
> Enfin, nous verrons qu'il existe des solutions pour ouvrir l'art au grand public.

Thème : ....

Problématique : ....

Plan : ....

Activité 19

Lisez le document et rédigez une introduction en annonçant le thème, les enjeux et le plan général.

Depuis quelques mois, les MOOCs (Massive Online Open Course) ont envahi le paysage de la formation. Fondés sur le principe du e-learning, il s'agit d'une formation en ligne ouverte à tous, où les participants assistent aux cours en direct, sans nécessité de se déplacer physiquement vers le lieu de la formation. En plein essor, ce nouveau type de formation pose de nombreuses questions : les MOOCs vont-ils révolutionner la manière dont les organisations forment leurs employés ? Apportent-ils une véritable innovation pédagogique ou est-ce juste un effet de mode ? Quelle différence avec le e-learning traditionnel ?

....

....

▬ Rédiger une conclusion

Activité 20

La conclusion est un bilan de votre argumentation en quelques lignes. Elle se compose de trois parties :
1. une brève synthèse des éléments évoqués ;
2. une réponse à la question posée ;
3. une ouverture au sujet de départ.
Lisez cette conclusion sur l'uniforme à l'école et répondez aux questions.

> L'uniforme permet en surface de réduire les inégalités sociales dans les écoles. Il constitue un levier pour créer un sentiment d'appartenance. Il est cependant nécessaire pour faire adhérer les élèves de les associer à ce choix. Or notre système scolaire est-il réellement prêt à entendre et à écouter leurs voix ?

1 - Quelle partie permet de faire le bilan ?

....

2 - Quelle phrase permet d'élargir le débat ?

....

Activité 21

Rédigez une phrase de conclusion et choisissez une formule de politesse qui corresponde à la situation.

Sujet : Un bar s'est installé sous vos fenêtres. Ce bar organise des concerts et les gens discutent bruyamment sous vos fenêtres. Vous écrivez au maire de la ville pour lui faire part de votre mécontentement et lui demander de trouver une solution. (250 mots environ)

1 - Résumez les enjeux principaux : ....

2 - Ouvrez de nouvelles perspectives : ....

Articuler des idées

Activité 22

Remettez cette lettre de plainte dans l'ordre.

a - Si d'un côté nous comprenons bien la logique du commerce, et l'envie de proposer des événements musicaux pour les jeunes de notre ville, d'un autre côté il nous apparaît inacceptable de supporter des comportements incivils, et du bruit toute la nuit.

b - Monsieur le Maire,

c - Je me permets de vous écrire au nom des habitants de la rue Diderot car nous sommes face à une situation difficile et qui n'a pas encore trouvé d'issue.

d - Nous avons appelé la police qui a dressé une amende. Cela n'a fait qu'empirer la situation et nos rapports quotidiens avec le personnel du bar sont devenus difficiles.

e - Je vous dresse un tableau de la situation : en septembre dernier, un bar s'est installé au n°20 de notre rue. Ce bar est ouvert jusqu'à 2h du matin, il organise des concerts et les consommateurs discutent sur le trottoir toute la soirée et une partie de la nuit.

f - Nous vous prions, Monsieur le maire, de recevoir nos respectueuses salutations.

g - C'est pourquoi nous sollicitons votre médiation afin d'établir un dialogue entre les résidents et les gérants du bar, et d'arriver à une solution acceptable pour les deux parties. Nous aimerions arriver à une cohabitation tranquille.

h - Vous comprendrez aisément que la situation est vite devenue insupportable : bruits, musique, bagarres, déchets. Nous avons essayé de discuter avec les gérants du bar, mais le dialogue s'est vite interrompu car ils nous ont répliqué qu'ils avaient l'autorisation d'ouvrir jusqu'à 2 h du matin, et n'étaient pas responsables du comportement des clients hors du bar.

1	2	3	4	5	6	7	8
....	....	....	....	....	....	....	....

Activité 23

Complétez cette lettre au courrier des lecteurs avec les articulateurs suivants :
ainsi, par exemple, en conclusion, ou encore, en revanche, notamment, en outre, et, mais, donc, de plus.

Je souhaiterais apporter ma modeste contribution concernant le débat livres papier ou livres numériques. Je suis un lecteur passionné et un amateur de romans historiques et d'essais sur la période de la Révolution française.

Je fais beaucoup de recherches, et il est vrai que les livres et la presse numérique nous obligent à passer des heures sur écran, ... on est dépendant d'une technologie. ...... les liseuses prennent peu de place, et elles me permettent .... de stocker de nombreux ouvrages et articles ..... on peut accéder gratuitement aux classiques.

....., cela permet d'économiser du papier, surtout pour la presse. ....., cela éviterait aux écoliers de porter des kilos de livre sur le dos. ..... les livres numériques permettent ..... de surligner, d'accéder à un dictionnaire. ......, je reste nostalgique des vieux romans.

On pourrait ..... faire un parallèle avec la photo numérique et argentique.

....., chacun doit pouvoir choisir, selon ses envies, sa situation économique et géographique.

— Écrire pour convaincre

Activité 24

Vous exprimez votre opinion à propos de la décision du gouvernement de généraliser les pesticides. Vous évoquez l'impact sur la faune et la flore, notamment sur les abeilles.

Complétez le texte ci-dessous en retrouvant l'expression manquante à l'aide des locutions en gras du tableau. Cochez l'intention de chaque expression dans le tableau.

Je suis choqué par la décision prise par le gouvernement car ...... qu'environ 300 000 colonies d'abeilles domestiques périssent chaque année.

.... les pesticides ont constitué un énorme progrès dans la maîtrise des ressources alimentaires, ..., ils constituent un danger pour l'homme, ainsi que pour la faune et la flore. .... les pesticides sont destinés à protéger les cultures, mais sans tenir compte des effets secondaires.

.... lutter contre les ravageurs de cultures, ... des phénomènes de résistance sont apparus chez les insectes, puis l'apparition de troubles de la reproduction chez les oiseaux ont montré de façon spectaculaire les limites et les dangers pour l'environnement de leur utilisation sans discernement.

Les abeilles sont les premières victimes de ces insecticides. Le pollen est contaminé, et cela tue les abeilles ou bien touche leur système nerveux et elles ne sont plus en mesure de retrouver leur ruche.

...... une grande étude pour faire un bilan complet de l'impact des pesticides sur les écosystèmes. Seul 10 % du produit pesticide est absorbé par la plante. Le reste est absorbé par les sols. ...... constater que nos champs sont contaminés, et donc c'est tout l'écosystème qui est touché.

...... le gouvernement doit revenir sur sa décision.

	Accord	Désaccord	Nuance
Il est certes nécessaire de…, toutefois…			
Il est inacceptable de…			
Il est exact que…,			
Je suis en faveur de…			
Je ne crois absolument pas			
Il apparaît…			
Il ne fait aucun doute que…			
Je ne nie pas que…, néanmoins…			
J'approuve sans réserve			

Activité 25

Vous exprimez votre opinion sur la décision de la Finlande d'abandonner l'écriture cursive à l'école au profit de l'apprentissage du clavier. Vous évoquez l'impact négatif sur les mécanismes d'apprentissage.

Complétez le texte ci-dessous en retrouvant l'expression manquante à l'aide des locutions en gras du tableau. Cochez l'intention de chaque expression dans le tableau.

Je viens de lire vos réactions concernant la décision de la Finlande de supprimer l'écriture cursive. En tant qu'enseignant, j'aimerais moi aussi contribuer au débat :

...... développer en parallèle les deux types d'apprentissage (manuscrite/clavier) de l'écriture devient une nécessité. La maîtrise des outils numériques en général s'intègre progressivement aux savoirs de base.

......, le geste graphique participe au développement de la motricité fine et au développement cérébral de l'enfant.

...... savoir si cela aura un impact sur l'organisation cérébrale, car nous ne disposons pas à l'heure actuelle de suffisamment de recul sur les technologies numériques et leur influence dans les apprentissages.

Notre société essaie de ne pas trop exposer les enfants aux écrans, et avec ce changement, ... cela renforcera la fréquentation des écrans par les enfants,

...... la Finlande choisit une évolution culturelle vers le tout numérique.

...... d'un point de vue socio-économique, généraliser de telles modalités d'enseignement supposerait que tous les enfants aient à leur disposition dans leur quotidien (et pas seulement à l'école) des outils numériques. Cela engendrerait, si on transposait cette situation en France, de grandes inégalités.

	Probabilité	Incertitude/doute
Je suis convaincu que		
Il va de soi que…		
Il est probable que…		
Il est encore trop tôt pour…		
Je doute que…		
Il est peu probable…		
Il est possible que…		
Il faut bien admettre que…		
Il se peut que…		

SE PRÉPARER

	Probabilité	Incertitude/doute
Il n'est pas certain…		
Il faut se rendre à l'évidence que…		
Comme chacun sait…		
Il apparaît clairement…		
Il semble que…		
Il est possible que…		
Il est incontestable que…		
C'est un fait que…		

Activité 26

Les patients sont de plus en plus nombreux à avoir recours à Internet pour un autodiagnostic médical et se soignent sans médecin.

a. Vous êtes scandalisé par ce comportement irresponsable et vous exprimez votre désapprobation en utilisant les expressions suivantes : *Je désapprouve - C'est inacceptable/intolérable/inadmissible - Je ne suis franchement pas d'accord - Je dénonce - Je ne comprends pas comment- C'est incroyable.*

....

....

b. Vous pensez qu'Internet est une opportunité pour se soigner. Vous exprimez votre approbation en utilisant les expressions suivantes : *Je suis (entièrement) d'accord - J'approuve totalement, absolument - Je partage votre avis - Je suis favorable à ce projet - exactement/effectivement/en effet/tout à fait/ parfaitement/évidemment.*

....

....

Activité 27

Appuyez les affirmations suivantes en exprimant votre adhésion.

Exemple : *Le cv anonyme est un bon outil pour lutter contre les discriminations.*
→ ***Personnellement, je suis convaincu que** le CV anonyme est un bon outil pour lutter contre les discriminations.*

1 - C'est très enrichissant de monter un jardin communautaire.

....

2 - L'orthographe en France sert à se distinguer socialement.

....

3 - Les expériences universitaires et professionnelles à l'étranger sont indispensables sur un CV.

....

4 - L'économie collaborative va révolutionner notre économie.

....

Activité 28

Remettez cette lettre de motivation dans l'ordre et repérez les compétences et les qualités du candidat.

Madame, Monsieur,

a - Concernant la partie technique, j'ai une excellente connaissance des réseaux sociaux actuels, et je maîtrise les logiciels de gestion de site. J'ai travaillé dans la création graphique et le webdesign durant deux années au début de ma carrière.

b - Passionné par le numérique, les médias et l'audiovisuel, et titulaire d'un Master en communication numérique, je souhaiterais apporter mes compétences pour développer votre entreprise sur le marché anglo-saxon.

c - Enfin, j'ai une grande capacité d'écoute, ce qui me permet de déterminer les besoins des clients, et de les conseiller au mieux.

d - Souhaitant vivement pouvoir vous rencontrer dans le cadre d'un entretien, je vous prie d'agréer, Madame, Monsieur, ma considération distinguée.

e - De plus, j'ai une grande capacité à mobiliser des acteurs (entreprises, collectivités, associations) et à créer des partenariats.

f - Ces emplois m'ont permis d'accroître mes capacités d'adaptation, je suis curieux et ouvert sur le monde, et j'ai un excellent niveau d'anglais.

g - Suite à votre annonce parue sur le site *jobemploi.com* parue le 15 juin 2016 pour le poste de gestionnaire de communauté (*community manager*) basé en Irlande, je me permets de présenter ma candidature.

h - J'ai travaillé 5 ans pour une start-up en Angleterre et j'ai développé les échanges au sein de la communauté. Afin de rappeler les règles de bonne communication et de confidentialité aux internautes, j'ai suivi une formation juridique. De sorte que les sites gérés par cette start-up ont reçu de nombreux prix pour la qualité des échanges et la bonne administration de ces derniers.

Édouard Rivol

1	2	3	4	5	6	7	8
....	....	....	....	....	....	....	....

Compétences : ....

....

....

Qualités : ....

....

....

1 La correspondance

▸ Dans cette épreuve, vous devez rédiger une lettre formelle. Vous devez rappeler les faits et justifier votre réclamation.

▸ Lire attentivement le document déclencheur et bien comprendre le sujet : qui écrit ? à qui ? pourquoi ? dans quel ordre ?

▸ Donner la priorité aux critères les plus importants : présenter les faits, argumenter une prise de position.

▸ Bien gérer son temps : 1 heure passe vite.

▸ Construire un plan logique en deux ou trois parties.

▸ Soigner la mise en page (faire des paragraphes équilibrés et bien ponctués.

▸ Varier la syntaxe (différents types de construction de phrases) et le lexique.

▸ Garder un peu de temps pour vous relire (orthographe et grammaire, mots oubliés).

Exercice 1   25 points

Lettre de protestation

Le maire de votre ville veut détruire la ferme urbaine de votre quartier pour en faire un parking. Depuis 5 ans, votre association y propose de nombreuses activités : jardinage, vente de fruits et légumes, construction d'un poulailler, d'une ruche, recyclage des déchets, mais aussi cours de jardinage, rencontres pour les enfants. Votre association fait partie des acteurs de la ville.

Vous écrivez à la municipalité, en tant que porte-parole de l'association, pour défendre cet oasis de verdure dans la ville, en expliquant l'utilité du projet. Vous proposez aussi des alternatives au projet de parking. (250 mots minimum)

....

....

▸ Vous êtes porte-parole de cette association : vous prenez la parole au nom de tous les membres et tous les usagers de l'association. Vous vous créez un personnage et vous inventez le nom de l'association pour rendre plus crédible votre lettre.

▸ Vous écrivez au maire de la ville : il s'agit d'une lettre formelle. Il faut rester courtois tout en défendant votre projet. Vous pouvez faire la liste de vos activités en démontrant en quoi elles sont utiles.

▸ La dernière partie de la lettre devra proposer des alternatives au projet de parking. Pour chaque proposition, vous devrez montrer les aspects positifs par rapport à la construction d'un parking.

▸ Pour vous aider, vous pouvez utiliser un tableau récapitulatif comme ci-dessous :

Thème	Défense d'un projet écologique
Mots clés	*défendre - utilité - alternatives - parking*
Problématique	Est-il acceptable de remplacer une ferme urbaine par un parking ?
Plan	1 - Phrase d'introduction, ce qui motive l'écriture de cette lettre.
	2 - Rappel des faits : rôle de la ferme.
	3 - Refus de la décision du maire et proposition de solutions.
	4 - Phrase de conclusion et salutations.

Proposition de corrigé :

Monsieur le maire,

1 - *Notre association « La ferme en ville » vient d'apprendre qu'elle doit quitter le terrain et les bâtiments qu'elle occupe car vous souhaitez détruire ce site pour en faire un parking.*

2 - *Nous sommes choqués par cette décision ; je me permets de vous rappeler que notre association propose depuis 5 ans un oasis de verdure dans notre ville. **En effet**, vous pouvez trouver à « La ferme en ville » des jardins partagés, un poulailler, des ruches. **Par ailleurs**, nous sommes respectueux de l'environnement et utilisons des panneaux solaires. Le chauffage est au compost et nous recyclons nos déchets.*
*De plus, nous sommes un lieu qui crée du lien social : nous accueillons des écoles pour leur faire découvrir la vie des abeilles ou des poules ; **en outre**, nous organisons des cours de jardinage, et une vente hebdomadaire de fruits et légumes locaux.*

3 - ***C'est pourquoi** il nous semble fondamental de maintenir ce lieu de vie, et cet espace vert au cœur de la ville.*
*Si les prometteurs ne peuvent accéder à notre requête, nous pourrions proposer des solutions mixtes. À **notre avis**, nous pourrions partager le bâtiment du parking, et promouvoir l'utilisation du vélo avec notre atelier de réparation de vélos, un pôle pour l'apprentissage du recyclage des déchets, un repair café.*
***De surcroît**, il sera nécessaire que vous nous aidiez à trouver un autre lieu.*
Il apparaît clairement que ce projet est une aberration. Les membres de l'association ont lancé une pétition pour le maintien de la ferme.

4 - *J'espère que vous nous accorderez un rendez-vous pour envisager les différentes issues.*
Je vous prie de recevoir, Monsieur le maire, mes salutations distinguées.
Léa Bordier
Présidente de l'association « La ferme en ville »

Nombre exact de mots : 284.

Exercice 2

25 points

Lettre de candidature

Après plusieurs années d'activité professionnelle dans une entreprise de commerce international, vous souhaitez reprendre des études et intégrer un master en économie ; mais vous êtes titulaire d'une licence anglais/français. Vous écrivez au directeur du master pour qu'il étudie votre candidature malgré un cursus initial inhabituel et qu'il prenne en compte votre expérience professionnelle. (250 mots minimum)

▶ Vous devez trouver des arguments pour convaincre votre lecteur que vous êtes un candidat certes au profil atypique mais que votre expérience professionnelle et votre connaissance du monde économique sont aussi importantes qu'une licence en économie.

▶ Vous vous présentez : description du parcours professionnel et de votre intérêt pour ce master.

▶ Démontrez vos capacités pour le poste, exposez vos motivations.

▶ **Qualités** : aisance relationnelle, adaptabilité (habitude des déplacements à l'étranger, travail en contexte plurilingue), rigueur.

▶ **Expériences professionnelles, compétences** : assure le suivi administratif et commercial des ventes et des achats, une veille permanente sur les marchés étrangers, prospecte à l'achat et à la vente.

▶ **Formation** : licence anglais/français : excellente connaissance du monde anglo-saxon et de son marché.

▶ Concluez la lettre de façon dynamique : vous devez convaincre que ce Master est indispensable à la réussite de votre projet. Insister sur la valeur ajoutée de votre profil.

▶ Sollicitez la bienveillance, la compréhension de votre interlocuteur.

PRÊT POUR L'EXAMEN

Se créer un personnage : parfois le sujet proposé ne correspond pas à votre réalité, ni à vos expériences personnelles. Cependant, on vous demande de parler de vos expériences à la 1re personne. Vous pouvez bien évidemment vous créer un avatar ; il pourra ainsi correspondre aux arguments que vous proposez.

Exercice 3

25 points

La lettre de réclamation

Vous avez loué une maison de vacances pour 10 personnes en bord de mer. À votre arrivée, rien n'est conforme à la description (loin de la plage, pas assez de place pour tout le monde, maison vétuste, etc.). Vous écrivez une lettre à l'agence de location pour demander le remboursement et être relogé dans une maison correspondant à votre demande. (250 mots minimum)

PRÊT POUR L'EXAMEN

① Ai-je bien rappelé les faits et protesté ?
② Ai-je justifié ma réclamation ?
③ Ai-je rappelé les termes du contrat ?
④ Ai-je posé mes conditions ?
⑤ Le ton de la lettre : ai-je utilisé le conditionnel qui permet d'adoucir le ton ?
⑥ Ai-je signé avec un faux nom car ma copie doit rester anonyme ?

2 L'essai

Exercice 4   25 points

▸ Bien reprendre le plan proposé par le sujet.

▸ Utiliser des connecteurs et des constructions verbales introduisant la cause, la conséquence.

▸ Donner des exemples, des faits.

▸ Parler de son expérience réelle ou fictive.

▸ Utiliser des expressions pour exprimer votre indignation (*je suis choqué, c'est intolérable*…).

▸ Modérer le ton en proposant des solutions.

Chaque année, chaque Français jette 140 kilos de nourriture sur l'ensemble de la chaîne alimentaire

400 euros par an pour une famille du quatre personnes : c'est le coût moyen du gaspillage alimentaire en France. Chacun de nous jette chaque année de 20 à 30 kilos de nourriture, ou 140 kilos par habitant pour l'ensemble de la chaîne alimentaire. Ce qui représente au total entre 12 et 20 milliards d'euros gaspillés ! Dans le monde, jusqu'à 50 % de la production alimentaire est perdue ou jetée entre le champ et l'assiette, selon la FAO. Producteurs, industriels, distributeurs, restaurateurs et ménages, chaque acteur a des habitudes qui contribuent à ce gâchis.

Isabelle de Foucaud, *http://www.lefigaro.fr*, 16 octobre 2015.

Vous êtes choqué(e) par cet article, et vous réagissez en envoyant votre contribution au journal. Vous faites le point sur la situation et vous proposez des solutions pour lutter contre le gaspillage alimentaire. (250 mots minimum)

....
....

Pour vous aider, vous pouvez utiliser un tableau récapitulatif comme celui-ci :

Thème	Le gâchis alimentaire
Mots clés	*Gaspillage alimentaire, producteurs, distributeurs, ménages*
Problématique	Le gaspillage fait-il peser une menace sur la planète ? Pouvons-nous être à la fois victime et responsable de ce gaspillage ?
Plan	1 - Rappeler le contexte (courrier des lecteurs) et introduire le sujet par des données chiffrées. 2 - Les causes de ce gâchis. 3 - Les conséquences. 4 - Proposer des solutions.

Proposition de corrigé :

1 - *Je viens de terminer la lecture de l'article « Chaque année, chaque Français jette 140 kilos de nourriture sur l'ensemble de la chaîne alimentaire. », et j'aimerais vous faire part de ma colère et de mon indignation face à cette situation.*
On sait que 1,3 milliard de tonnes d'aliments sont jetées dans le monde, et que cela représente plus d'un tiers des aliments produits sur la planète. Parallèlement, une personne sur six souffre de malnutrition.

2 - *Afin de trouver des solutions, essayons de voir quelles sont les causes de ce gâchis.*
Si l'on prend l'exemple, des fruits et légumes, nous constatons que du champ à la poubelle, à chaque étape, nous jetons, nous gaspillons. Tout d'abord, les fruits et légumes non calibrés, c'est-à-dire qui ne correspondent pas aux normes, sont jetés alors qu'ils sont consommables. Puis, durant les transports, ces denrées s'abiment. Il est inadmissible de voir qu'au supermarché, si certains produits ne sont pas présentables d'un point de vue esthétique, ils sont jetés. Pour finir, nous achetons des portions trop importantes que nous jetons car les fruits ou légumes ont pourri.

3 - *Il apparaît que ces comportements ont bien entendu des conséquences sur l'environnement.*
Les agriculteurs utilisent d'importantes ressources en eau, en engrais et pesticides, polluant ainsi les sols. En outre, le transport des fruits et légumes, qui seront en partie jetés à l'arrivée, rejette des gaz à effet de serre. Par conséquent, on utilise des quantités d'énergie en pure perte, et ceci aura un impact sur le réchauffement climatique.

4 - *Nous sommes à la fois responsables et victimes de ce gaspillage. Il nous faut donc agir à trois niveaux : mondial, national et local.*
J'ai la conviction que nous, en tant que citoyens, nous pouvons réfléchir avant d'acheter, créer des applications pour récupérer des aliments non utilisés (dans les restaurants, les magasins), développer les doggy bag, manger des fruits moches.
Et cela, nous pouvons le faire dès aujourd'hui. Et vous, comment allez-vous changer vos habitudes ?

Nombre exact de mots : 378.

CE QUE JE RETIENS

▸ Dans un forum, je n'écris pas mon nom et mon adresse. La présentation a des règles plus souple.

▸ J'évite les tournures trop familières et je reste courtois.

▸ Les textes déclencheurs sont là pour guider ma réflexion.

▸ Je peux utiliser les données (chiffres, pourcentages) dans mon texte.

▸ Les arguments sont accompagnés d'exemples concrets. Cela donne davantage de poids à mes idées.

En France, le droit de vote des femmes a 70 ans. Mais qu'en est-il de l'égalité hommes-femmes en matière de salaires, de responsabilités ?

Vous souhaitez réagir à cette date anniversaire, et faire le point de la situation dans votre pays. (250 mots minimum)

....

....

PRÊT POUR L'EXAMEN

① Utiliser le comparatif.
② Faire un tableau reprenant les différents domaines (histoire, culture, etc.).
③ Faire des paragraphes.
④ Garder du temps pour relire votre texte et y apporter des améliorations.
⑤ Vérifier que chaque partie comprend : une idée essentielle + argumentation 1 + exemple 1 + argumentation 2 + exemple 2.

Exercice 6 25 points

Des professionnels et chercheurs pensent que les robots sont une vraie menace pour les humains et plus précisément dans le domaine de l'emploi. Mais en réalité, l'émergence des robots dans le monde du travail est une révolution à l'œuvre qui va aider les industriels à se développer et gagner en matière de performance et de productivité.

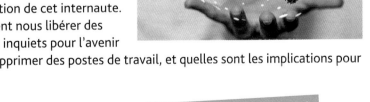

Vous souhaitez réagir à l'intervention de cet internaute. Vous pensez que les robots peuvent nous libérer des tâches répétitives, mais vous êtes inquiets pour l'avenir car vous ne savez pas s'ils vont supprimer des postes de travail, et quelles sont les implications pour l'homme. (250 mots minimum)

....

....

....

....

PRÊT POUR L'EXAMEN

① Bien identifier les mots clés.
② Organiser son temps (recherche d'idées, plan, rédaction, relecture).
③ Relier les idées avec des connecteurs.
④ Donner des exemples.

PRÊT POUR L'EXAMEN !

Communication

- Accueillir et prendre congé
- Donner son avis
- Exprimer des sentiments
- Exprimer son accord/désaccord
- Souligner des points importants

Socioculturel

▸ Les formules de salutation, de congés en fonction du rôle et du statut de l'interlocuteur

▸ Mise en page à respecter : faire des paragraphes (introduction/1re partie/2e partie/conclusion)

Grammaire

Les adjectifs accompagnés de prépositions : *être heureux de, prêt à, confiant en...*

La mise en relief : *c'est* + pronom relatif

Le subjonctif pour exprimer un doute, un souhait, une obligation

Vocabulaire

▸ Culture
▸ Écologie
▸ Éducation
▸ Monde du travail
▸ Santé

STRATÉGIES

1. Avant d'écrire, je lis avec attention le texte déclencheur (extrait d'un forum par exemple) et la consigne. Dois-je écrire une lettre formelle ? une contribution sur un forum ?

2. Je note sur un brouillon des idées et je les organise. Je cherche des exemples pertinents.

3. Je relis mon travail : je contrôle les règles d'accord, l'orthographe des mots, l'utilisation de connecteurs.

POUR DIRE

Donner son avis

À mon avis, il faudrait proposer d'autres horaires d'ouverture.
Selon moi, il faudrait fermer les parcs animaliers.
Il me semble que c'est un élément à prendre en compte.
Je crois que les collégiens devraient suivre des cours d'histoire de l'art.

Exprimer son accord/ désaccord

Je suis d'accord avec le nouveau conseil municipal.
J'approuve cette nouvelle politique environnementale.
Je vous approuve sans réserve.
Je ne partage pas votre avis sur les biotechnologies.
Il est inadmissible que des caméras nous surveillent 24h/24h.
Je dénonce cette discrimination au sein de l'entreprise.

Exprimer des sentiments

À ma grande surprise
Je suis étonné/surpris de cette décision.
J'ai été profondément déçu par son attitude
Je souhaiterais vous faire part de mon mécontentement.
C'est déplorable pour notre entreprise.
Je suis mécontent de vos services.
Je suis très satisfait de cette initiative.
C'est formidable
Je suis sensible à la démarche.

Souligner des points importants

J'insiste sur le fait que toutes les parties cherchent à trouver un accord.
Je soulignerais que les vélos en libre-service sont utilisés à 98 %.
Il faut signaler/souligner/ remarquer que les avantages sont supérieurs aux inconvénients.
Ce qui me semble important, c'est que les salariés puissent décider.

Accueillir et prendre congé

Faisant suite à votre article sur…, je souhaiterais apporter ma contribution/apporter quelques précisions…
Suite à votre annonce parue sur le site *jobemploi.com* parue le 15 juin 2016 pour le poste de commercial, je me permets de présenter ma candidature.
En vous remerciant de l'attention que vous porterez à ce message, veuillez recevoir, Madame, Monsieur, mes salutations distinguées.
Souhaitant vivement pouvoir vous rencontrer dans le cadre d'un entretien, je vous prie d'agréer, Madame, Monsieur, ma considération distinguée.

Je suis prêt ? Les 4 questions à se poser

1. Est-ce que je suis capable de commencer et de conclure la production de manière adéquate ?

2. Combien d'expressions j'utilise pour exprimer mon désaccord ?

3. Combien de connecteurs je suis capable d'utiliser pour indiquer une progression logique ?

4. Est-ce que je peux éviter les répétitions et employer des mots précis ?

✔ À faire

AVANT L'EXAMEN

☐ **réviser le** vocabulaire
des verbes pour exprimer son accord ou son désaccord

☐ **réviser la** syntaxe
les formes impersonnelles
l'expression de l'hypothèse, de la cause, de la conséquence

☐ **s'entraîner à écrire des textes enrichis de connecteurs**
pour montrer que vous avez organisé votre discours

LE JOUR DE L'EXAMEN

☐ relire les fiches   PRÊT POUR L'EXAMEN
pour se rassurer
☐ soigner son écriture
☐ organiser ses idées avec un plan
☐ utiliser la ponctuation correctement
et vérifier les accents

Production
orale

COMPRENDRE

L'ÉPREUVE

La production orale est la quatrième et dernière épreuve de l'examen du DELF B2. Elle est individuelle.

Durée totale de l'épreuve	**30 minutes de préparation** **20 minutes de passation**
Nombre de points	**25 points**
Nombre d'exercices	**2 parties**
Nombre de productions	**2 productions**
Quand commencer à parler ?	**Dès le début de l'épreuve**

Objectifs des exercices

Exercice 1   **Défense d'un point de vue argumenté (monologue suivi)**

Exercice 2   **Débat (exercice en interaction)**

LES SAVOIR-FAIRE

Il faut principalement être capable de :

Présenter le thème d'un document et en dégager une problématique

Défendre un point de vue clair en mettant en évidence des éléments significatifs et/ou des exemples pertinents

S'exprimer assez longtemps de façon suivie

Structurer, hiérarchiser ses idées

Confirmer, nuancer, apporter des précisions

Réagir aux arguments et déclarations d'autrui pour défendre sa position

J'aborderai dans cet exposé la question des bienfaits du sport sur les performances intellectuelles. C'est le sujet traité dans l'article intitulé « Le sport dope le cerveau », publié dans le magazine *Santé*. En quoi le sport permet-il d'être plus efficace au travail ? Quels sont, d'après de récentes recherches scientifiques, les effets de la pratique sportive sur l'activité du cerveau ? ...

LES EXERCICES ET LES DOCUMENTS

	Supports possibles	Type d'exercice	Nombre de points
Exercice 1 **Le monologue suivi**	Article de presse, dépêche, extrait de blog	Prise de parole en monologue	7 points
Exercice 2 **Le débat**	Article de presse, dépêche, extrait de blog	Échange avec l'examinateur	6 points

Le niveau linguistique est noté sur 12 points :
▶ Lexique : 4 points
▶ Morphosyntaxe : 5 points
▶ Phonétique et prononciation : 3 points

LA CONSIGNE

Pour l'épreuve individuelle du DELF B2, vous recevrez un document candidat qui présente le déroulement de l'épreuve et les consignes pour chaque partie.
Avant l'épreuve, vous allez tirer au sort 2 sujets et vous choisirez celui que vous préférez. Vous aurez ensuite 30 minutes pour préparer votre prestation avant de rencontrer l'examinateur. Vous serez installé dans une salle de préparation ou au fond de la salle de passation.

LES QUESTIONS ET LES RÉPONSES

L'épreuve se déroule en deux parties.

▶ Partie 1 : **Monologue suivi :** cette première partie consiste en l'élaboration d'une problématique et la défense d'un point de vue. Vous devrez faire ressortir des éléments saillants issus du document déclencheur et présenter votre opinion sur le sujet.

▶ Partie 2 : **Débat :** l'examinateur vous posera des questions. Vous serez amené à préciser vos idées, compléter vos arguments, nuancer, contre-argumenter.
Vous devrez être convaincant.
L'examinateur pourra élargir le débat.

CONSEILS

– Saluer poliment l'examinateur au début et à la fin de l'épreuve.
– Prendre des notes.
– Pendant le temps de préparation, anticiper les questions de l'examinateur.
– Bien gérer bien votre temps.
– S'entraîner avant le jour de l'épreuve (en vous enregistrant, en vous filmant ou devant un miroir).
– Lire régulièrement la presse.

1 Préparer le monologue suivi

— Analyser le sujet

Activité 1

Lisez l'article ci-dessous et répondez aux questions pour identifier la thématique du document.

Le « doggy bag » recommandé dans les restaurants

[...] Plus la peine de se forcer à finir ses plats au restaurant, par peur d'avoir eu les yeux plus gros que le ventre. Afin de lutter contre le gaspillage alimentaire, il est fortement recommandé aux restaurateurs de proposer à leurs clients un « doggy bag » pour qu'ils puissent repartir avec ce qu'ils ont laissé dans leur assiette.

[...] Si les « doggy bags » sont très répandus dans les pays anglo-saxons, les Français ne sont pas coutumiers du fait d'emporter leurs restes. À tel point que, en Rhône-Alpes, la Direction régionale de l'Alimentation, de l'Agriculture et de la Forêt a mis en place une nouvelle appellation et un slogan pour démocratiser cette pratique. Le « doggy bag » s'appelle désormais le « gourmet bag » et le message est : « c'est si bon, je finis à la maison ! ». Une image plus positive donc, les Français ayant peur de paraître avares s'ils avaient à demander à leur restaurateur d'emporter leurs restes.

http://www.lesechos.fr, 3 janvier 2016.

1 - Quelle est la source de cet article ? Quelle est sa date de publication ?

....

2 - Posez-vous les questions « Quoi ? », « Qui ? », et « Pourquoi ? » et relevez dans l'article 3 ou 4 mots et/ou expressions clés.

....

3 - Utilisez ces mots et/ou expressions dans 3 ou 4 phrases synthétisant le contenu de cet article. Veillez à ne pas reprendre des phrases entières du texte.

....

....

4 - Relisez l'article. Si besoin, corrigez et reformulez vos phrases. Vous disposez à présent des éléments thématiques essentiels qu'il s'agira d'utiliser dans votre monologue.

....

....

Activité 2

Lisez l'article ci-dessous et répondez aux questions pour identifier la thématique du document.

Un élève sur huit aurait un <u>usage « problématique »</u> du jeu vidéo. C'est ce qu'indique une enquête menée auprès de 2 000 élèves dans 15 collèges et lycées d'Ile-de-France. Avec plus de 11 écrans à domicile, les adolescents […] <u>sont suréquipés</u>. 84 % d'entre eux ont une console de jeux et 74 % une tablette. Les trois quarts des lycéens (60 % des collégiens) ont un ordinateur dans leur chambre. […] Le temps passé devant un écran  « atteint parfois cinq à six heures quotidiennes, y compris en semaine », souligne l'enquête. […] <u>« Utilisation excessive »</u>, « usage abusif », « addiction » : les termes varient pour désigner des pratiques jugées problématiques et leurs possibles effets sur la santé. […] « La pratique excessive de jeu vidéo est souvent liée à un <u>défaut de surveillance et de sollicitude parentale</u> », note l'enquête. […] On retrouve aussi des jeunes en situation de mal-être, ou qui ont des parents hyperconnectés.

Pascale Santi, *Le Monde*, 17 décembre 2014.

1 - Quel titre serait selon vous le plus adapté ?

☐ Les adolescents et les jeux vidéo : comment résoudre le problème ?

☐ La place des jeux vidéo dans la vie des ados : état des lieux

2 - Pourquoi avez-vous choisi ce titre ?

....

....

3 - Nous avons souligné des mots et des expressions clés. Trouvez-leur des synonymes ou reformulez.

Usage problématique : ....

Sont suréquipés : ....

Utilisation excessive : ....

Défaut de surveillance et de sollicitude parentale : ....

4 - Complétez ces deux phrases afin de formuler la problématique du document :

Aujourd'hui, les jeunes ....

....

Les parents ....

....

Activité 3

Lisez l'article ci-dessous et répondez aux questions pour définir une problématique.

Acheter votre viande dans un distributeur automatique, ça vous dit ?

On connaissait les distributeurs automatiques de baguettes ou de pizzas. Désormais, il existe aussi des distributeurs… de viande. Une boucherie parisienne propose ce service à ses clients.

Depuis deux semaines, la boucherie basque « L'ami Txulette », située au 120 rue de Charonne, dans le XIe arrondissement de Paris, a installé juste à côté de sa devanture le premier distributeur automatique de viande de la capitale.

Assiette de carpaccio à 6 euros, bavette d'Aloyau à 5,30 euros, cordon bleu de volaille à 1,90 euros… Les produits crus ou déjà prêts à consommer sont disponibles dans la machine, qui fonctionne comme n'importe quel distributeur automatique, avec espèces et carte bleue. Ce sont en fait les mêmes produits que ceux qui sont vendus dans la boutique, à la différence près qu'ils sont emballés sous vide et plus chers de 10 à 20 centimes.

Il n'est donc plus nécessaire d'entrer, de faire la queue, de s'adresser au boucher. Une telle automatisation ne pourrait-elle pas, à terme, entraîner la mort des bouchers de quartier ? La question fait débat.

D'après *Metronews France*, Gilles Daniel, 17 février 2016.

1 - Lisez seulement le titre de cet article. Selon vous, de quoi va-t-il traiter ?

....

2 - Lisez l'article et dites si ces affirmations sont vraies ou fausses :

	VRAI	FAUX
a. Une boucherie parisienne étend son offre de services aux clients.		
b. Il est fréquent de trouver des distributeurs de viande à Paris.		
c. Les produits dans les distributeurs sont de qualité inférieure à ceux vendus dans la boucherie.		
d. Les utilisateurs des distributeurs n'attendent pas à la boucherie.		
e. Ce nouveau service présente des risques sanitaires.		

3 - À la fin de l'article, que signifie « la mort des bouchers de quartier » ?

....

4 - Reformulez « Une telle automatisation ne pourrait-elle pas, à terme, entraîner la mort des bouchers de quartier ? »

....

....

5 - Formulez une problématique en utilisant vos propres mots.

....

▬ Trouver des arguments

Activité 4

Pour chacune des affirmations suivantes, notez vos idées. Trouvez 5 mots ou expressions utiles pour votre exposé :

Exemple : Aujourd'hui, plus personne ne peut vivre sans téléphone portable :

– dépendance ;

– faciliter le quotidien (acheter, s'orienter, etc.) ;

– rassurer les parents (fonction GPS) ;

– briser le contact humain/transformer les relations sociales ;

– risques pour la santé (maladies cérébrales).

1 - Manger sainement coûte cher.

....

....

....

....

2 - Les enfants apprendraient plus en voyageant qu'à l'école.

....

....

....

....

....

3 - Les adolescents ne lisent plus.

....

....

....

....

....

4 - Apprendre des langues étrangères ouvre l'esprit.

....

....

....

....

....

Activité 5

Pour chaque affirmation, hiérarchisez les idées en les remettant dans l'ordre.

1. Affirmation : Manger sainement coûte cher

— Aujourd'hui, la grande distribution occupe une place très importante dans la vie des consommateurs.

— Il est donc de plus en plus aisé de manger sainement à moindre coût.

— Ceci étant, les magasins bio proposent maintenant des produits sains à des prix raisonnables.

— En effet, faire ses courses au supermarché coûte moins cher qu'aller au marché.

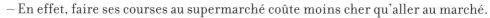

2. Affirmation : Les enfants apprendraient plus en voyageant qu'à l'école

— L'école apporte aux enfants des connaissances.

— Ainsi, si tous les enfants pouvaient passer leur temps à voyager avec leurs parents, ils apprendraient plus qu'à l'école.

— Les voyages, quant à eux, permettent de découvrir en profondeur de nouvelles cultures, de comprendre l'histoire d'un pays et les modes de vie des populations.

3. Affirmation : Les adolescents ne lisent plus

— On entend souvent dire que les adolescents d'aujourd'hui ne lisent plus.

— Ce sont plutôt les contenus qui ont changé : les ados lisent moins de littérature et plus d'articles publiés sur les réseaux sociaux ou sur les blogs.

— Il faut pourtant reconnaître que les supports de lecture se multiplient : smartphones, tablettes, ordinateurs, etc.

— Bien que le livre n'ait plus une place prépondérante dans la vie des adolescents, la quantité de texte lu est donc plus importante que par le passé.

Activité 6

1 - Pour qu'une idée devienne un argument, vous devez l'enrichir. Complétez le tableau ci-dessous en trouvant pour chaque idée une idée complémentaire.

Idée	Idée complémentaire
a. Les réseaux sociaux facilitent les rencontres.	*Aujourd'hui, les relations humaines passent d'abord par un contact virtuel, via Internet.*
b. Aujourd'hui, voyager n'est plus réservé aux personnes aisées.	....
c. L'adolescence est une période de transition.	....
d. Le téléphone portable est devenu indispensable.	....
e. Pour beaucoup de gens, le bien-être au travail prime sur le salaire.	....

2 - Pour que vos arguments soient convaincants, ils doivent être complétés d'exemples.
Placez les phrases suivantes dans le tableau. À chaque argument correspond un exemple.

– La pratique d'une activité physique quotidienne est à la portée de tous. C'est une question de volonté.
– Les contenus des séries, des émissions de téléréalité et des publicités sont assez pauvres.
Ils n'offrent rien d'intéressant pour l'esprit.
– Certaines langues régionales, certaines recettes de cuisine, pourraient un jour disparaître.
– Chacun peut faire l'effort de monter les escaliers au lieu de prendre l'ascenseur.
– Prendre des vacances est indispensable pour être efficace au travail. Le repos est essentiel
pour avoir une vie équilibrée.
– Les personnes âgées ont des connaissances et des savoir-faire qu'il faut préserver et transmettre.
Sinon, les générations futures ne profiteront pas de cette richesse.
– La télévision est néfaste pour les enfants. Elle est source de divertissement et non d'apprentissage.
– De nombreuses études montrent que les employés qui ne partent pas assez en vacances sont moins
productifs et moins créatifs que ceux qui posent régulièrement des congés.

Arguments	Exemples
....	....
....	....
....	....
....	....

3 - Quelle différence faites-vous entre un argument et un exemple ?

....

....

— Construire un plan

Activité 7

Lisez le texte ci-dessous.

Les histoires d'amour ne commencent pas en général sur Internet

Ils promettent l'amour à grands coups de campagnes publicitaires accrocheuses et publient des chiffres aussi vertigineux qu'invérifiables sur le nombre de leurs utilisateurs… Au point que peu à peu, la croyance se répand que les sites de rencontres amoureuses sont devenus un moyen privilégié de trouver l'âme sœur. […]

Mais si leur fréquentation est importante, les utilisateurs y nouent surtout des relations éphémères […]. Parmi les personnes ayant connu leur conjoint actuel récemment […], moins de 9 % l'ont rencontré par le biais d'un site. […] « Ce n'est pas devenu un mode de rencontre durable dominant », commente la sociologue Marie Bergström, […] spécialiste de la formation des couples. Pour trouver un conjoint, les sites arrivent en cinquième position derrière les classiques indémodables que restent le lieu de travail, les soirées entre amis, les lieux publics, et l'espace domestique (chez soi ou chez d'autres).

L'usage des sites s'est démocratisé : les utilisateurs ne sont plus seulement des cadres vivant en ville. […] Bien qu'elle soit moins utilisatrice, c'est paradoxalement pour une population plus âgée, composée de personnes séparées ou divorcées, que les sites jouent un rôle de plus en plus important pour trouver un conjoint.

Désormais présente dans la sociabilité amoureuse, la rencontre numérique ne s'est pas pour autant banalisée. Seule la moitié des utilisateurs dit à son entourage s'être créé un profil. « Ce n'est pas considéré comme un bon mode de rencontre » […].

Gaelle Dupont, *http://www.lemonde.fr*, 10 février 2016.

1 - Expliquez le titre avec vos propres mots.

....

....

2 - De quoi traite l'article ?

....

....

3 - Formulez la problématique avec vos propres mots.

....

....

....

4 - Reconstruisez le plan en mettant dans l'ordre les **titres**, **arguments** et **exemples** ci-dessous. Formulez ensuite avec vos propres mots un exemple complémentaire pour chaque argument.

Titres :
– Qui sont les utilisateurs de ces sites et est-ce une pratique assumée ?
– Les sites de rencontres : la solution pour trouver l'âme sœur ?

Arguments :
– Les utilisateurs de sites de rencontres sont nombreux mais rares sont ceux qui trouvent la personne avec qui partager leur vie.
– Cependant, cette pratique revêt encore une image négative.
– On note une diversité de profils d'utilisateurs (origine socio-économique, âge, etc.), ce qui prouve qu'il s'agit d'une pratique qui s'est démocratisée.

Exemples :
– Beaucoup de gens éprouvent une gêne à dire qu'ils sont inscrits sur un site de rencontres.
– Seulement un couple sur dix est issu d'une rencontre *via* Internet.
– De plus en plus d'utilisateurs sont des personnes qui cherchent à construire une nouvelle vie après une séparation.

Partie I	Partie II
Titre :	Titre : ....
Argument :	**Argument 1 :**
....	....
....	....
....	....
....	**Exemple 1 :**
Exemple :	....
....	....
....	**Argument 2 :**
....	....
....	....
....	....
Exemple complémentaire :	**Exemple 2 :**
....	....
....	....
....	**Exemple complémentaire :**
....	....
....	....
....	....

Activité 8

À vous maintenant de construire un plan !

Lisez l'article ci-dessous. Faites la liste des arguments importants et proposez un plan.

Pour traiter ce document, optez pour un **plan analytique en 3 parties** :

I. État des lieux

II. Causes

III. Solutions

Santé : Un adulte sur cinq sera obèse en 2025

Si des politiques de lutte contre l'obésité ne sont pas mises en œuvre « *rapidement* » dans le monde, des « conséquences sanitaires d'une ampleur inconnue » sont à craindre, estime le Pr Majid Ezzati. Selon une étude coordonnée par ce chercheur de l'Imperial College de Londres, l'obésité touche aujourd'hui près de 650 millions d'adultes, soit 13 % de la population mondiale adulte, un pourcentage qui pourrait atteindre 20 % d'ici 2025 si le rythme de progression actuelle de cette épidémie se maintient.

« En 40 ans, nous sommes passés d'un monde où l'insuffisance pondérale était deux fois plus importante que l'obésité à un monde où les personnes obèses sont plus nombreuses que celles en sous-poids », souligne le scientifique.

[…] L'étude évalue le nombre d'obèses adultes à 641 millions en 2014, dont 375 millions de femmes et 266 millions d'hommes. En 1975, ils n'étaient que 105 millions. Une explosion liée notamment à une alimentation industrielle trop riche, mais aussi à des prédispositions génétiques.

[…] L'obésité constitue désormais « un problème important de santé publique » dans de nombreuses régions à revenu intermédiaire (Pacifique, Moyen-Orient, Afrique du nord, certains États d'Amérique du sud ou des Caraïbes), relève l'étude. Si l'IMC* est resté globalement stable entre 1975 et 2014 chez les femmes japonaises et la plupart des femmes européennes (à l'exception notable des Britanniques), les six pays riches anglophones (USA, Royaume-Uni, Australie, Canada, Irlande et Nouvelle-Zélande) présentent des résultats nettement plus inquiétants : ils accueillent aujourd'hui un cinquième des adultes obèses dans le monde, soit 118 millions de personnes, et 27 % des obèses sévères, soit 50 millions.

La résolution du problème passe à la fois par une action individuelle et collective : une remise en question des habitudes alimentaires de chacun s'impose, de même que la mise en place de politiques visant à freiner le développement de l'obésité.

AFP, 20 avril 2016.

* L'IMC (indice de masse corporelle) correspond au rapport entre le poids et la taille d'une personne.

Arguments importants :

....

....

....

Plan analytique

PARTIE I : État des lieux
Argument 1 :   *L'obésité est un phénomène qui prend de l'ampleur.*
Exemple 1 :   *Si rien n'est fait, 20 % des adultes souffriront d'obésité en 2025.*
Argument 2 : ....
Exemple 2 : ....

PARTIE II : Causes
Argument 1 : ....
Exemple 1 : ....
Argument 2 : ....
Exemple 2 : ....

PARTIE III : Solutions
Argument 1 : ....
Exemple 1 : ....
Argument 2 : ....
Exemple 2 : ....

Activité 9

Lisez l'article ci-dessous.

Les animaux domestiques coûtent 4,3 milliards d'euros aux Français

Un ménage sur deux possède un animal de compagnie...

Les animaux domestiques – aussi bien les chiens ou les chats que les rongeurs, oiseaux ou poissons – ont coûté l'an dernier pas moins de 4,3 milliards d'euros aux Français. […]

Il faut compter 800 euros par an pour un chien. Pour un chat, c'est 600 euros. Des sommes qui ne tiennent pas compte de l'achat de l'animal : ils concernent juste l'alimentation, les accessoires et l'hygiène. […]

Si l'alimentation est pour l'heure le premier poste des dépenses, cela pourrait évoluer, notamment avec l'arrivée des objets connectés. Les professionnels redoublent d'ingéniosité pour proposer de nouveaux services qui pourraient bien séduire les propriétaires de chats et autres chiens. […] Comme les colliers GPS, pour pouvoir pister Médor et Félix. Les chiens et les chats ont toujours eu des puces, ce n'est pas nouveau. Mais des puces électroniques pour être géolocalisés, c'est quand même autre chose! […]

Autre service en vogue : les balles « *que l'on peut lancer à son chien à distance depuis son smartphone. Le maître, à l'aide d'une caméra, peut décider à tout moment de faire jouer son animal, avec une machine connectée à la maison, pour que l'animal ait une activité régulière en son absence* ». Sans compter les sites de rencontre pour animaux, tels que *Chabadog*, la version wouaf-wouaf d'*Adopteunmec.com*.

Céline Boff, *http://www.20minutes.fr*, 7 avril 2015.

1 - Construisez un **plan thématique** qui permettra d'aborder le sujet sous différentes facettes.
Plan thématique :

PARTIE I : ....
PARTIE II : ....
PARTIE III : ....

2 - Imaginez que l'examinateur est face à vous ! Entraînez-vous à présenter votre plan à l'oral. Cela vous permettra d'en vérifier la cohérence.

▬ Présenter son opinion

Activité 10

Dans le tableau, remettez dans l'ordre les éléments ci-dessous afin de reconstituer l'introduction du document de l'activité 9 sur les animaux domestiques.

a. Quelle place occupent et occuperont les animaux domestiques dans nos vies ?

b. Aujourd'hui, les animaux domestiques sont présents dans un foyer français sur deux. Ils représentent un budget important pour les familles.

c. Puis nous analyserons l'évolution du phénomène, grâce notamment à Internet.

d. Nous présenterons d'abord la situation actuelle.

e. Nous tenterons enfin de nous projeter afin d'imaginer quelle sera, dans un avenir proche, la place des animaux domestiques dans notre quotidien.

1	2	3	4	5

Activité 11

STE 34

1 - Écoutez l'enregistrement et repérez :

a. comment le candidat introduit sa prise de parole :

....

....

b. les connecteurs logiques qu'il utilise :

....

....

c. les deux parties de son plan :

....

....

2 - Écoutez à nouveau et complétez la transcription :

Aujourd'hui, en France, ...

et les seniors sont en meilleure santé.

....

C'est ce que nous explique l'auteur de l'article « Plutôt mourir que

vieillir » publié dans le magazine *Tendances* du 14 mai 2016.

.... , les plus de 50 ans

vivent mal l'approche de la retraite. ....

éprouvent les seniors face au temps qui passe ?

.... perdurent au sujet des capacités

physiques et intellectuelles des seniors ?

PISTE 35

Activité 12

Écoutez les trois introductions. Pour chacune d'elles, identifiez le **thème**, la **problématique** et le **plan**.

	Thème	Problématique	Plan
a. Introduction 1			
b. Introduction 2			
c. Introduction 3			

Activité 13

1 - Lisez le texte suivant et écrivez une courte **introduction** dans laquelle vous présenterez le **thème** du document, la **problématique** et votre **plan**.

Les effets positifs de l'interdiction de fumer dans les lieux publics

Un nouveau rapport montre une baisse importante des maladies cardiaques dans les pays où il est interdit de fumer dans les espaces publics. Une baisse particulièrement marquée chez les non-fumeurs.

Pour ceux qui en doutaient encore, une nouvelle étude vient montrer les bienfaits de l'interdiction de fumer dans les lieux publics. […] Ce nouveau rapport montre que les pays qui ont mis en place des lois interdisant de fumer dans les espaces publics observent la réduction du nombre de malades liés au tabagisme passif, en particulier concernant les maladies cardiaques.

Pour arriver à ces résultats, une équipe de chercheurs irlandais a passé en revue 77 études menées dans 21 pays du monde, dont les États-Unis, le Royaume-Uni, le Canada et l'Espagne. Parmi elles, 44 se concentraient sur les maladies cardiaques, l'objet de leur méta-analyse. Résultats : 33 études montrent une baisse importante de ces maladies suite à l'interdiction de fumer. La baisse la plus marquée est observée chez les non-fumeurs, les personnes en première ligne face au tabagisme passif. […]

Ces dernières conclusions « viennent encore plus étayer les enseignements précédents sur les bienfaits sur la santé de ces interdictions », note Cecily Kelleher, de l'University College de Dublin et auteur de l'étude. Elle ajoute que « nous avons désormais besoin de recherches sur l'impact continu sur le long terme de ces interdictions de fumer sur des sous-groupes spécifiques de population, comme les jeunes enfants, les personnes précaires et les minorités. »

[…] Les chiffres de l'Organisation mondiale de la santé montrent que le tabac tue la moitié de ses consommateurs, soit environ 6 millions de personnes chaque année. Plus de 600 000 de ces décès concernent des non-fumeurs exposés au tabagisme passif.

http://www.pourquoidocteur.fr, 6 février 2016.

Introduction :

....

....

....

....

....

....

....

2 - Voici une liste d'arguments qu'un défenseur de la lutte contre le tabagisme pourrait avancer. Trouvez des arguments visant à le/la **contredire.**

Exemple :
Argument : Fumer doit être interdit dans tous les lieux publics.
Argument opposé : Interdire de fumer dans un lieu public serait une atteinte à la liberté.

Arguments	Arguments opposés
Le contact des jeunes avec des adultes fumeurs incite les jeunes à devenir eux-mêmes fumeurs.	....
Augmenter le prix des cigarettes est le meilleur moyen de diminuer le nombre de cancers du poumon.	....
Les enseignants sont les mieux placés pour sensibiliser les jeunes aux dangers de la cigarette.	....
Fumer près d'un non-fumeur, même dans un lieu public, est une forme d'irrespect.	....
Promouvoir davantage le sport permettra de diminuer le nombre de fumeurs.	....

3 - Rédigez **5 arguments personnels** afin d'exprimer votre opinion sur le sujet du tabagisme dans les lieux publics et de façon plus large sur la lutte contre le tabagisme.

Organisez les arguments dans un ordre décroissant d'importance
(commencez par le plus important à vos yeux et terminez par le moins important).

a. ....

b. ....

c. ....

d. ....

e. ....

Activité 14

Transformez les phrases suivantes sans en modifier le sens :

Exemple :

Je pense qu'Internet est la plus belle invention de tous les temps.
→ À mon avis, Internet est la plus belle invention de tous les temps.

a. Selon moi, si nous n'agissons pas maintenant, l'avenir de la planète est menacé.

→ ....

b. Je ne suis pas sûr que les radars permettent de diminuer le nombre d'accidents de la route.

→ ....

....

c. Je suis convaincu que la lutte contre le réchauffement climatique est l'enjeu majeur du XXIᵉ siècle.

→ ....

....

d. Il ne fait pas de doute que l'innovation technologique facilite grandement la vie quotidienne.

→ ....

....

....

e. D'après moi, la lecture permet d'améliorer les compétences en orthographe.

→ ....

f. Il est nécessaire d'avoir des diplômes pour réussir sa vie professionnelle.

→ ....

PISTE 36

Activité 15

1 - Écoutez les interventions. Identifiez le **sujet traité** et dites si le locuteur est **pour** ou **contre**.

	Sujet traité	Pour	Contre
a.	....		
b.	....		
c.	....		
d.	....		
e.	....		

2 - Écoutez à nouveau les cinq interventions et relevez les structures permettant d'exprimer l'opinion (exemple : je pense que…).

....

....

3 - Entraînez-vous ! Choisissez des sujets dans la liste ci-dessous. Exprimez votre opinion (pour ou contre) et argumentez.

Les caméras de surveillance dans les rues - La gratuité des transports publics - L'école à la maison - L'interdiction de fumer dans tous les lieux publics - La fermeture des centrales nucléaires.

....

....

....

ISTES
7 À 41

Activité 16

1 - Écoutez les interventions. Identifiez le **sujet traité** et relevez les **avantages** et les **inconvénients** mis en évidence par le locuteur.

	Sujet traité	Avantages	Inconvénients
a.			
b.			
c.			
d.			
e.			

2 - Entraînez-vous ! Présentez au moins un avantage et un inconvénient pour chacun des sujets ci-dessous.

– Les livres numériques
– Le CD cède sa place au téléchargement légal sur Internet
– L'apprentissage à distance : étudier *via* Internet
– Les enfants utilisent des tablettes et téléphones portables
– Le courriel a remplacé le courrier postal

....

....

Activité 17

Complétez les phrases suivantes par des connecteurs logiques afin de marquer les transitions entre les idées.

Connecteurs à replacer : *En ce sens - donc - Par ailleurs - Tout d'abord - Cependant - alors qu' - En revanche - Deuxièmement - Par conséquent - Depuis pl usieurs années.*

...., on constate que la presse écrite décline au profit de la télévision et des informations diffusées *via* Internet. Les raisons sont multiples.

...., les journaux papier sont payants et par conséquent ne sont pas accessibles à tous. La télévision, elle, est présente aujourd'hui dans tous les foyers, de même qu'Internet. Leur prix est abordable.

.................................., les lecteurs manquent de temps. ...., il est plus rapide d'allumer quelques minutes une chaîne d'information en continu que de lire le journal.

...., Internet constitue une source inépuisable d'informations.

.................................., il est un support d'information plus riche que tout autre support.

.................................., on y trouve parfois des informations erronées. Il est donc important de savoir sélectionner l'information et prendre du recul par rapport à ce que l'on trouve sur Internet.

............................, les journaux présentent l'avantage de fournir uniquement l'information que le lecteur recherche, ... Internet lui impose une quantité importante de publicité.

On peut .... dire que la diffusion de l'information évolue. Elle est aujourd'hui largement accessible et la plupart du temps gratuite. Il revient au lecteur – qui est en fait consommateur d'informations – d'être suffisamment lucide pour ne pas subir le flux d'informations qui arrive à lui.

Activité 18

Écoutez l'enregistrement. Il s'agit de la conclusion d'un monologue sur le thème des rythmes scolaires. Complétez la transcription.

.... les rythmes scolaires mériteraient d'être repensés. La réussite des enfants ne dépend pas seulement du temps qu'ils passent dans la salle de classe. La comparaison des systèmes scolaires européens ....

Un équilibre entre activités scolaires et activités sportives et culturelles doit être trouvé. .... la volonté des Français de remettre en question leur vision du système.

2 Préparer le débat

— Réagir aux arguments

Activité 19

Lisez le texte suivant.

Vivre plus vieux c'est bien, le faire en bonne santé c'est mieux

Davantage de seniors en bien meilleure santé : si la nouvelle donne démographique paraît une bonne nouvelle, c'est parce que le monde économique, technologique et médical a déjà commencé à miser sur le bien-être des « aînés ». Au profit de tous.

Le constat est sans appel : la société française vieillit. Et même rapidement. [...] Connaître leurs besoins et proposer des biens et services adaptés est donc un enjeu majeur, pour leur bien comme pour celui des plus jeunes.

Les pouvoirs publics l'ont compris en aidant à la création de la filière Silver Économie (traduisez : « l'économie des cheveux blancs ») au cours de l'année 2013. Transports, services, loisirs, agroalimentaire, santé, équipement, il n'est pas un secteur d'activité qui ne soit concerné par cette vague de personnes plus âgées, non seulement en France, mais aussi dans le monde. Et la bonne nouvelle, sans tomber dans un optimisme béat, est que seule une petite fraction d'entre elles risque de se retrouver dépendante. Il faut donc s'attendre à vieillir plus longtemps, mais en meilleure santé qu'avant.

[...] Confort de l'habitat, maison connectée, détection des chutes, dispositifs de sécurité... autant de services qui permettent le maintien à domicile. Ils sont bien sûr facilités par les nouvelles technologies et la vague numérique, sur laquelle les seniors surfent eux aussi. En témoigne le succès des ordinateurs, tablettes et téléphones « simplifiés » comme Doro, Ordissimo, ou Bazile. « Grâce à Internet, les liens avec la famille ou le voisinage sont préservés, ce qui explique le véritable plébiscite sur ces produits », note Philippe Metzenthin, président de la FFD (Fédération française de domotique). [...]

Sciences et Avenir, 13 février 2015.

1 - Dans la première partie de l'épreuve, vous avez dégagé le problème soulevé et présenté votre opinion. L'examinateur vous pose à présent les questions ci-dessous. Répondez en marquant votre **approbation** et en **argumentant**.

a. Selon vous, le vieillissement de la population française est-il visible au quotidien ?

....

....

....

b. Pensez-vous vraiment que l'on vit aujourd'hui en meilleure santé qu'avant ?

....

....

c. Selon vous, quelle est la recette pour vivre plus longtemps ?

....

....

2 - L'examinateur émet les affirmations suivantes. Vous les **réfutez**.

a. On comprend dans l'article que les seniors s'adaptent très bien aux nouvelles technologies. Qu'en pensez-vous ?

....

....

b. À votre avis, ce constat (on vit plus vieux, en meilleure santé et mieux connecté) peut-il être fait dans tous les pays du monde ?

....

....

c. « Les liens avec la famille sont préservés », dit l'article. Pensez-vous que les personnes âgées sont toujours bien considérées par leurs proches ?

....

....

Activité 20

Dans votre exposé, vous avez émis les affirmations suivantes. L'examinateur n'a pas compris. **Reformulez.**

a. La réussite professionnelle passe avant tout par une vie privée heureuse.

....

....

b. Manger sainement est un privilège réservé aux plus fortunés.

....

....

c. L'adolescence est la période de la vie où notre avenir prend forme.

....

....

d. Prendre une année sabbatique permet à tout individu de faire une pause bénéfique.

....

....

e. Aucun pays occidental ne peut développer son économie sans développer son tourisme.

....

....

▬ Défendre son point de vue

Activité 21

Écoutez l'enregistrement. Le candidat **marque son désaccord** avec les idées de l'examinateur. Répondez aux questions suivantes :

1 - Quel argument l'examinateur met-il en avant ?

....

....

2 - Quelle est l'opinion du candidat ?

....

....

3 - Complétez avec les structures grammaticales utilisées pour marquer le désaccord.

C'est ce que beaucoup de gens pensent. Mais ....

Je ne partage ....

Pas du tout ! Bien ....

4 - Quelles autres tournures de désaccord connaissez-vous ?

....

▬ Convaincre et orienter l'échange

Activité 22

Complétez chacun des arguments de l'activité 20 par une information (exemple propre à votre pays, référence à une lecture récente, etc.) qui offrira à l'examinateur l'occasion de vous poser des questions pendant l'entretien. Bien entendu, puisque vous orientez ainsi le débat, veillez à proposer une information que vous serez capable de préciser ensuite.

Exemples :
Le port de l'uniforme à l'école permet de gommer les inégalités sociales.
  • Dans mon pays, de la maternelle au lycée, les élèves portent l'uniforme. Étant enfant, je n'ai jamais été témoin de discriminations liées à la tenue vestimentaire.

Les vraies vacances sont des vacances où l'on ne fait rien.
  • J'ai lu récemment les résultats d'une étude qui démontraient qu'il était bénéfique de rester totalement inactif de temps à autre, tant pour notre santé physique que pour notre bien-être psychologique et notre développement intellectuel.

Faites de même avec les arguments suivants :

a. Toutes les rues des grandes villes devraient être munies de caméras.

....

....

b. L'automédication présente des risques importants pour la santé.

....

....

c. La conduite en état d'ébriété devrait être plus sévèrement punie.

....

....

1 Le monologue suivi : défense d'un point de vue argumenté

▶ La première partie de l'épreuve consiste en une **prise de parole sans interruption**.

Le jour de l'examen :

– **lire la consigne** avec la plus grande attention ;

– **bien préparer** l'intervention. Celle-ci doit être structurée, riche en arguments et fluide.

1. Lire le document

La lecture attentive du document déclencheur est essentielle. Faire plusieurs lectures si besoin.

• Pendant la lecture, relever tous les éléments utiles pour la présentation :

– **repérer les informations clés** (en soulignant ou en entourant les mots importants) ;

– **prendre des notes**.

• Après lecture du document ci-contre et relevé/prise de notes, vous disposerez des éléments suivants : *Robots ; Maintien à domicile des personnes âgées ; Avancées ; Encore cher ; Complément à un accompagnement humain.*

2. Dégager le problème soulevé

Identifier le thème du document et construire une problématique.

• Analyser le titre et le reformuler. Une partie de la problématique y figure.

  Titre : Des robots pour le maintien à domicile des personnes âgées.

Des robots ont été créés pour faciliter la vie des personnes âgées et leur permettre de rester à domicile.

• Formuler la problématique à l'aide des informations importantes relevées dans le corps du document.

Des robots dont le rôle est d'aider les personnes âgées à domicile ont été mis au point. Ces avancées technologiques coûteuses peuvent-elles remplacer l'intervention de l'homme ?

3. Présenter son opinion

Construire un argumentaire afin de donner votre point de vue sur le sujet.

• En s'appuyant sur les informations du document, exprimer un point de vue sur le sujet en élaborant des arguments personnels accompagnés d'exemples.

Vous traitez le sujet suivant.

Vous dégagerez le problème soulevé par le document ci-contre.

Vous présenterez votre opinion sur le sujet de manière argumentée et vous la défendrez si nécessaire.

Des robots pour le maintien à domicile des personnes âgées

Plusieurs start-up françaises développent des technologies pour venir en aide aux personnes dépendantes. Mais ces solutions restent chères.

Lina est un prototype de robot d'aide à la personne. « Il doit permettre aux personnes âgées de rester plus longtemps chez elles ou de les aider dans leurs activités dans des établissements qui accueillent des personnes âgées », indique Lucile Peuch, ingénieure au sein de la société française CybeDroid qui a conçu l'humanoïde, encore au stade expérimental.

Robots compagnons, domotique, mais aussi montres connectées ou dispositifs d'appels d'urgence, la technologie est partout. Certains robots, présents par exemple dans des maisons de retraite, peuvent diriger des exercices thérapeutiques pour stimuler la mémoire, donner des cours de sport, ou fournir les principales informations du moment, comme la météo ou le repas du jour.

Toutes ces technologies présentent des avancées. Mais elles coûtent encore cher. Ces robots, dont le fonctionnement n'est pas forcément simple pour un public pas toujours à l'aise avec la technologie, posent aussi des questions de maintenance et ne pourront de toute façon qu'être un complément à un accompagnement humain des personnes dépendantes. « On ne cherche pas à remplacer l'humain, note Lucile Peuch, un robot viendra toujours en appui pour aider les aidants. »

D'après Julien Duriez, *La Croix*, 25 mars 2016.

PISTE 44

Un candidat a réalisé la première partie de l'exercice à partir de l'article « Des robots pour le maintien à domicile des personnes âgées ». Écoutez son intervention et relevez :

a. la formule utilisée pour introduire l'exposé :

L'article à partir duquel j'ai construit mon analyse s'intitule... Il est tiré du journal...............................

b. les connecteurs utilisés pour articuler le discours :

Tout d'abord - Par ailleurs - Ainsi - D'un côté.... D'un autre côté.... - Ceci étant - Donc.................

c. les structures employées pour exprimer l'opinion :

Je pense que.... - Je suis d'avis que.... - J'ai le sentiment que.... - Je me pose la question de.... - Je crains que...

d. la formule utilisée pour conclure :

En conclusion, je peux dire que je suis convaincue de..

CE QUE JE RETIENS

▸ Quel est le sujet traité par le document ?

▸ Quels mots et expressions puis-je relever afin de construire la problématique ?

▸ Quelle est mon opinion sur la question ? Quels exemples puis-je fournir ?

▸ Quelles questions l'examinateur pourrait-il me poser dans la 2e partie de l'épreuve ?

(18 points)

Vous traitez le sujet suivant.

Vous dégagerez le problème soulevé par le document ci-dessous.

Vous présenterez votre opinion sur le sujet de manière argumentée et vous la défendrez
si nécessaire.

Habiter dans un bateau,
la vie au fil de l'eau

Vivre sur un bateau, c'est le rêve de nombreux aventuriers qui rêvent de liberté. Si pour certains, cela ne dépassera jamais le stade du fantasme, pour d'autres, c'est devenu une réalité, avec tout de même quelques inconvénients à ne pas négliger.

Alors que la majorité d'entre nous aime la vie sédentaire, d'autres rêvent d'évasion et de liberté. Pourtant, il est tout à fait possible de conjuguer les deux, en vivant sur un bateau à l'année par exemple. Bien entendu, ce rêve a un prix et exige de se plier à certaines contraintes.

Si certains d'entre nous rêvent de pouvoir s'acheter une maison et de s'installer dans une région qui leur plaît, d'autres redoutent la sédentarité tout autant que la monotonie. Ainsi, de plus en plus de personnes s'essaient à un genre pas si nouveau que ça d'habitat : la vie sur un bateau. Si ce style de vie original a le vent en poupe, c'est qu'il correspond à un besoin d'évasion et à une recherche de liberté de plus en plus pressants dans nos quotidiens parfois anxiogènes. On pourrait d'ailleurs rattacher le succès de la vie sur un bateau à celui de la vie en camping-car qui répond aux mêmes attentes.

L'avantage avec ce style de vie original, c'est qu'il permet de rester au même endroit pendant plusieurs années et de se déplacer facilement quand une envie de changement ou de renouveau se fait sentir. Plus besoin de vendre sa maison pour aller voir ailleurs, elle bouge avec nous ! [...]

On ne s'installe pas dans un bateau sur un coup de tête ! Et pour cause, nombreuses sont les contraintes à ne pas négliger. Il y a d'abord l'aspect financier, car au-delà du prix du bateau, il faut également penser au prix que coûtera la location d'un emplacement dans un port à l'année. Il vous faudra généralement débourser entre 1 000 et 3 000 euros par an pour cela. N'oublions pas non plus qu'il vous faudra peut-être vous inscrire sur une liste d'attente avant de vous voir attribuer un emplacement.

Ensuite, nous l'avons vaguement évoqué précédemment, vivre sur un bateau requiert un minimum de connaissances, surtout si vous comptez naviguer avec. Pensez que pour déplacer votre bateau, il vous faudra au minimum être titulaire du permis côtier. Le permis hauturier vous permettra de franchir de plus grandes distances. Et des connaissances sur la navigation à voile sont indispensables si votre bateau est un voilier.

Carole Guidon, *http://www.bienchezsoi.net*, 2 novembre 2015.

1 - Quels mots et expressions clés peuvent selon vous être relevés ?

Utilisez ensuite ces mots et expressions pour formuler la problématique.

Mots et expressions clés	Problématique

▸ Relisez le document si besoin afin de faire un bon choix de mots clés.
   Celui-ci va déterminer l'élaboration de votre problématique puis de votre plan.

2 - Élaborez le plan de votre exposé.

I.
Argument(s) :
Exemple(s) :
II.
Argument(s) :
Exemple(s) :

▸ À vous de définir quel type de plan sera le plus approprié.

3 - Construisez trois arguments personnels afin de faire état de votre point de vue sur ce mode de vie.

....

....

....

▶ Choisissez des arguments percutants, qui vont intéresser l'examinateur et lui donner matière à vous poser des questions dans la 2ᵉ partie de l'épreuve.

4 - Écrivez votre introduction et votre conclusion.

Introduction :

....

....

....

....

....

Conclusion :

....

....

....

....

▶ N'oubliez pas que l'introduction et la conclusion sont des parties essentielles de votre exposé.

L'introduction est la « première impression » que vous donnerez à l'examinateur.
Elle doit donner envie d'écouter votre monologue suivi.

La conclusion doit clore efficacement votre prise de parole (en proposant éventuellement une ouverture).

PRÊT POUR L'EXAMEN

❶ Lire attentivement le document.
❷ Repérer les mots et expressions clés.
❸ Élaborer une problématique.
❹ Bâtir un plan.
❺ Construire des arguments, accompagnés d'exemples.
❻ Anticiper les questions de l'examinateur.

Vous traitez le sujet suivant. Vous dégagerez le problème soulevé par le document ci-dessous.
Vous présenterez votre opinion sur le sujet de manière argumentée et vous la défendrez si nécessaire.

Hausse des adoptions d'animaux : « En période de crise, l'animal a une valeur refuge encore plus forte »

L'année commence bien pour la Société protectrice des animaux (SPA) qui a enregistré une hausse spectaculaire de 20 % des adoptions d'animaux en janvier. Bilan : 1 890 chats ont trouvé de nouveaux maîtres en janvier 2016, contre 1 588 en janvier 2015 ; et 1 721 chiens ont été adoptés en janvier 2016 (1 447 en janvier 2015). Natacha Harry, présidente de la SPA explique les raisons de cet engouement. [...]

La tendance est à la hausse pour les adoptions depuis deux ans et demi. [...] Pourtant, le pouvoir d'achat de nombreux Français n'est pas optimal à l'heure actuelle et l'entretien d'un animal coûte cher...

La France reste le pays leader au niveau européen en termes de nombre d'animaux de compagnie. Et la notion économique n'est pas un frein à l'adoption. Quand une personne a pris la décision d'accueillir un animal, elle est capable de se serrer la ceinture sur d'autres postes de dépenses pour assouvir son rêve. Il faut en général compter entre 20 et 30 euros par mois pour l'entretien d'un chat et une cinquantaine d'euros pour un chien. Par ailleurs, en période de crise, l'animal a une valeur refuge encore plus forte. Il est source de réconfort et contribue à la chaleur du foyer, d'autant plus quand la vie extérieure est difficile.

[...] Le chat est à l'heure actuelle l'animal préféré des Français, surtout en milieu urbain, car il impose moins de contraintes. Mais les chiens ont aussi la cote. Lorsqu'ils visitent un refuge, les adoptants ne sont pas à la recherche d'une race d'animal, mais d'une rencontre. Reste que les très jeunes animaux ont un peu plus de chance d'être adoptés.

Delphine Bancaud, *http://www.20minutes.fr*, 3 février 2016.

1 - Définissez ou reformulez les mots et expressions clés suivants :

adoption : ....

hausse spectaculaire : ....

pouvoir d'achat : ....

assouvir son rêve : ....

valeur refuge : ....

réconfort : ....

contrainte : ....

▸ Ce travail de relevé et de définition/reformulation de mots et expressions vous permet de construire le cœur de votre exposé, la matière à partir de laquelle vous allez élaborer vos arguments. La reformulation va également vous permettre de varier le lexique et les structures pendant votre exposé.

2 - Répondez aux questions suivantes :

a. Quel constat fait l'auteur de l'article au sujet du nombre d'adoptions d'animaux domestiques en période de crise ?

....

....

b. Qu'est-ce qui est paradoxal dans cette situation ?

....

....

c. Que signifient les phrases suivantes :

« Quand une personne a pris la décision d'accueillir un animal, elle est capable de se serrer la ceinture sur d'autres postes de dépenses pour assouvir son rêve » ?

....

....

« En période de crise, l'animal a une valeur refuge encore plus forte. »

....

....

3 - Construisez trois arguments personnels afin de faire état de votre point de vue.

....

....

....

....

....

4 - Entraînez-vous ! Utilisez vos réponses aux 3 questions précédentes et simulez votre exposé en imaginant que l'examinateur est en face de vous. Enregistrez-vous si vous le pouvez.

▸ Pendant la préparation, posez-vous les bonnes questions sur le texte qui vous est proposé.
Vous aurez ainsi des idées pour formuler vos arguments et vous anticiperez les questions que l'examinateur pourra vous poser.

PRÊT POUR L'EXAMEN

❶ Définir et/ou reformuler les mots et expressions clés du document.
❷ Se poser les bonnes questions sur le texte.
❸ Anticiper les questions de l'examinateur.
❹ Construire des arguments personnels.

2 L'exercice en interaction : le débat

▸ Dans la 2e partie de l'épreuve, l'examinateur vous posera quelques questions. Vous devrez y répondre de façon précise, claire et argumentée. Vous serez amené(e) à défendre votre point de vue, à nuancer, à préciser. L'examinateur s'appuiera sur les informations que vous aurez exprimées durant votre monologue ou sur des éléments extérieurs en lien avec le sujet traité par le document.

Exercice 4

Vous avez terminé la 1re partie de l'épreuve en vous appuyant sur le document de l'exercice 1 : « Des robots pour le maintien à domicile des personnes âgées ».
L'examinateur vous pose les **questions** suivantes. Vous y **répondez**.

▸ Veillez à varier les structures grammaticales pour défendre votre point de vue. Par exemple :
Il est incontestable que… - Cela ne fait aucun doute que…, etc.

▸ Soyez précis dans vos réponses.

1 - Vous avez dit dans votre exposé que les robots peuvent transformer la vie des gens. Est-ce que vous pouvez préciser ?

Réponse libre.
....

....

▸ Reformulez ce que vous avez exprimé dans votre première partie afin de confirmer que vous avez effectivement avancé cet argument. Complétez en apportant quelques exemples.

2 - Il est dit dans l'article que certains robots peuvent « donner des cours de sport, ou fournir les principales informations du moment, comme la météo ou le repas du jour ». Que pensez-vous de cela ? Cela vous surprend-il ? Cela vous inquiète-t-il ?

Réponse libre.
....

....

▸ Veillez à varier les structures de l'expression des sentiments (*cela me choque, je crains que…*). N'oubliez pas d'utiliser des connecteurs logiques !

3 - Vous avez également dit que les enjeux derrière ces innovations étaient essentiellement commerciaux. Pouvez-vous préciser et donner des exemples ?

Réponse libre.
....

....

▸ Trouvez des exemples parlants, tirés du quotidien. Veillez à ne pas utiliser tous vos exemples dans la première partie. Vous en garderez ainsi pour la deuxième !

▸ Dans vos réponses, veillez à aller dans le sens de ce que vous avez exprimé dans la première partie. Ne vous contredites pas !

L'examinateur avance les **arguments** suivants. Vous **contre-argumentez.**

4 - Certains diront que seuls les riches ont accès aux innovations qui facilitent la vie.
Êtes-vous du même avis ?

.....Réponse libre...

....

5 - On entend souvent dire que dans un avenir proche nous serons entourés d'humanoïdes au quotidien,
dans toutes nos tâches. Imaginez-vous cela ?

.....Réponse libre...

....

▸ Utilisez les structures grammaticales adéquates :
  je pense au contraire que…
  les innovations ne sont aucunement réservées…
  etc.
▸ Vos arguments doivent être convaincants.
  Évitez les réponses trop courtes ou trop vagues.

CE QUE JE RETIENS

▸ Quelles questions l'examinateur pourra-t-il me poser ?
▸ Comment pourrais-je exprimer cet argument avec d'autres mots ?
▸ Quels exemples complémentaires pourrais-je apporter pour appuyer
  chacun de mes arguments ?
▸ Si l'examinateur émet un avis opposé au mien, comment vais-je
  contre-argumenter ?

Exercice 5

Vous avez exploité le document de l'exercice 2 : « Habiter dans un bateau, la vie au fil de l'eau ».
L'examinateur vous pose les **questions** suivantes. Vous y **répondez.**

1 - Est-ce que vous vous imaginez vivre toute l'année sur un bateau ? Expliquez pourquoi.

....

....

....

2 - Ce choix de vie n'est-il pas réservé à une minorité de privilégiés ?

....

....

....

3 - Vous avez dit dans votre exposé que choisir de vivre sur un bateau, c'est d'une certaine manière chercher à montrer que l'on est différent, que l'on rejette les modes de vie classiques. Pouvez-vous préciser ?

....

....

▶ Vous avez émis dans votre exposé un argument intéressant.
Vous devez vous préparer à une demande de précisions de la part de l'examinateur.
Pendant le temps de préparation dont vous disposez, anticipez les sollicitations de l'examinateur dans la deuxième partie. Pour chacun de vos arguments principaux, posez-vous la question :
« Quelle question l'examinateur pourra-t-il me poser à ce sujet ? ».

PRÊT POUR L'EXAMEN

❶ Anticiper autant que possible les questions de l'examinateur.
❷ Préparer des exemples complémentaires qui serviront à appuyer mes arguments et/ou contre-argumenter.
❸ Rester cohérent avec les arguments avancés dans la première partie (ne pas se contredire).
❹ Maîtriser une variété de structures grammaticales, notamment celles permettant d'exprimer l'opinion.

Exercice 6

Vous avez exploité le document de l'exercice 3 : « Hausse des adoptions d'animaux : En période de crise, l'animal a une valeur refuge encore plus forte ».
L'examinateur vous pose les **questions** suivantes. Vous y **répondez**.

1 - Pouvez-vous expliquer le titre. Pensez-vous qu'il résume le contenu de l'article ?

....

....

2 - Vous avez évoqué dans votre exposé le problème de la maltraitance animale. Pensez-vous que ce sujet de préoccupation est propre à l'époque moderne ou a-t-il toujours été aussi prégnant ?

....

....

3 - Certains disent qu'à une époque où les crises sont malheureusement d'actualité, nous ferions mieux de nous intéresser au quotidien de l'être humain plutôt qu'à celui de l'animal. Êtes-vous d'accord ?

....

....

PRÊT POUR L'EXAMEN

❶ Être capable d'expliquer le titre du document.
❷ Être capable de mettre un sujet en perspective.
❸ Réagir à un argument non issu du document.

PRÊT POUR L'EXAMEN !

Communication

- Argumenter
- Développer un thème
- Décrire un phénomène, un fait, une pensée
- Donner les avantages, les inconvénients
- Émettre des hypothèses
- Exprimer des sentiments
- Exprimer une opinion
- Introduire un sujet, annoncer un plan
- Parler du passé et de l'avenir
- Participer à une conversation

Argumenter

- Mettre en évidence des arguments principaux et secondaires
- Trouver des exemples pertinents
- Exprimer l'approbation/ la désapprobation
- Reformuler, nuancer, préciser ses idées
- Élargir le débat

Grammaire

Les articulateurs logiques
Le subjonctif
Le conditionnel
L'hypothèse
La concordance des temps
Les temps du passé et du futur

STRATÉGIES

1. Je réalise une prise de notes bien organisée. Pendant ma prestation, je consulte mes notes mais je ne lis pas. Je regarde l'examinateur dans les yeux.

2. J'utilise les gestes pour être convaincant et conserver l'attention de l'examinateur.

3. J'anticipe les questions de l'examinateur. Lorsque je prépare mes arguments, je me demande : « Comment réagira l'examinateur ? Quelle question pourrait-il me poser ? »

Vocabulaire

- Vocabulaire de l'opinion
- Vocabulaire pour exprimer l'accord et le désaccord
- De manière générale, le lexique présent dans la presse

Donner son opinion
À mon avis, …
En ce qui me concerne, …
D'après moi, …
Selon moi, …
Je pense/trouve/crois que…
Il me semble que…

Exprimer une opinion générale
Il va de soi que…
Il est évident que/clair que…
Il est certain que…
On ne peut pas nier que…
Il est vrai que…
On sait bien que…
Comme chacun sait, …

Exprimer une certitude
Je suis absolument/tout à fait certain(e) que/de…
Je suis absolument/tout à fait persuadé(e) que/de…
J'ai la conviction que…

Exprimer un doute
Je ne crois pas que…
+ subjonctif
Je ne suis pas persuadé(e) que… + subjonctif
Je ne suis pas (du tout) sûr(e)/certain(e) que… + subjonctif
Je me demande si…

Exprimer une nécessité
Il est nécessaire que/de…
Il est indispensable de…
Il faut que…
Il est essentiel de…

Exprimer son accord
Effectivement/Sûrement
Je suis d'accord
Je suis de votre avis
Vous avez raison
Tout à fait
Je partage votre idée/analyse
Je reconnais que…

Exprimer son désaccord
Je ne suis pas d'accord
Je n'en suis pas si sûr
Ce n'est pas tout à fait exact

Illustrer
Par exemple
À titre d'exemple
Ainsi
Notamment

Marquer l'ajout
De plus
De même
Par ailleurs
D'un autre côté
Au demeurant

Synthétiser
Pour résumer
En définitive
En d'autres termes
En somme
En bref

Marquer la progression
Introduction :
Tout d'abord
En premier lieu
Premièrement
Je commencerai par…

Continuation :
Ensuite
En second lieu
En outre
De surcroît
J'ajouterai que…

Conclusion :
Enfin
En dernier lieu
En définitive
Pour conclure/en conclusion
Je terminerai en disant que…

Je suis prêt ? Les 4 questions à se poser

1. Est-ce que je sais dégager une problématique ?

2. Est-ce que je sais organiser mes idées ?

3. Est-ce que je sais exprimer mon opinion de plusieurs manières ?

4. Est-ce que je sais faire une introduction et une conclusion efficaces ?

PRÊT POUR L'EXAMEN !

✓ À faire

AVANT L'EXAMEN

- ☐ lire la presse et s'entraîner à identifier le thème d'un article, à formuler une problématique
- ☐ réviser les structures de l'expression de l'opinion
- ☐ s'entraîner à argumenter sur des sujets d'actualité
- ☐ apprendre un grand nombre de connecteurs logiques
- ☐ s'entraîner à haute voix, s'enregistrer ou se filmer

LE JOUR DE L'EXAMEN

- ☐ structurer son discours, relier les idées entre elles
- ☐ faire répéter si besoin
- ☐ se montrer détendu et souriant
- ☐ vouvoyer l'examinateur et utiliser les formules de politesse

AUTO-ÉVALUATION

Compréhension de l'oral	Oui	Pas toujours	Pas encore
Je peux saisir le genre, le domaine et le thème d'une émission radiodiffusée assez longue.			
Je peux identifier le ton et le point de vue d'un locuteur qui s'exprime dans une langue standard.			
Je peux comprendre l'essentiel d'un discours complexe sur un sujet concret ou abstrait.			

Compréhension des écrits	Oui	Pas toujours	Pas encore
Je sais identifier les enjeux d'un article grâce au paratexte, aux mots clés et aux articulateurs.			
Je sais reconnaître le ton d'un texte et les stratégies d'argumentation.			
Je sais répondre à tout type de questions.			
Je sais retrouver dans le texte les éléments précis qui justifient ma réponse.			
Je sais reformuler une expression du texte pour en préciser le sens			

Production écrite	Oui	Pas toujours	Pas encore
Je peux écrire un essai ou un article en donnant les avantages et les inconvénients de différentes options, et je peux exprimer mon point de vue.			
Je peux écrire des lettres qui expriment différents degrés d'émotion, qui soulignent les points importants dans un événement ou une expérience.			
Je peux écrire des textes clairs et détaillés sur une grande gamme de sujets relatifs à mes intérêts			

Production orale	Oui	Pas toujours	Pas encore
Je peux communiquer de façon spontanée avec un locuteur natif.			
Je peux participer activement à une conversation, présenter et défendre mes opinions.			
Je peux m'exprimer de façon claire et détaillée sur de nombreux sujets relatifs à mes centres d'intérêt.			
Je peux développer un point de vue sur un sujet d'actualité en organisant efficacement mes idées.			

Compréhension de l'oral
30 minutes | **25 points**

ÉPREUVE COLLECTIVE 1

Exercice 1 **18 points** PISTE 45

(Les soldes)

**Vous allez entendre 2 fois un enregistrement sonore de 3 minutes environ.
Vous aurez tout d'abord 1 minute pour lire les questions. Puis vous écouterez une première fois l'enregistrement. Concentrez-vous sur le document. Ne cherchez pas à prendre de notes. Vous aurez ensuite 3 minutes pour commencer à répondre aux questions.**

**Vous écouterez une deuxième fois l'enregistrement. Vous aurez encore 5 minutes pour compléter vos réponses. Lisez maintenant les questions.
Pour répondre aux questions, cochez (☑) la bonne réponse ou écrivez l'information demandée.**

1. Quel est le thème général de la discussion ?   2 points
☐ L´effet de la publicité sur les consommateurs en période de soldes.
☐ Les pratiques de vente et de consommation en période de soldes.
☐ Le chiffre d'affaire des magasins de vêtements en période de soldes.

2. D'après François Dumaître, quelle influence subissent les consommateurs ?   1,5 point

....

3. Quel est le titre du livre de François Dumaître ?   1 point

....

4. Dans cet ouvrage...   1 point
☐ il dépeint le profil du consommateur d'aujourd'hui.
☐ il remet en question l'idée selon laquelle le client est manipulé.
☐ il explique les lois du marché des biens et des services.

5. Complétez le tableau.   1 point

Les acheteurs compulsifs	
Proportion de la population de consommateurs	....
Nombre de consommateurs concernés	....

6. Quelle est la mission essentielle de l'association que préside Roselyne Moreau ?   1,5 point

....

7. Selon Roselyne Moreau...   1,5 point
☐ les magasins devraient harmoniser leurs offres tarifaires.
☐ des erreurs de tarifs apparaissent fréquemment sur les étiquettes.
☐ les fraudes tarifaires sont des pratiques souvent constatées.

8. Qu'est-ce que « l'aménagement stratégique des espaces » ?   1,5 point

....

9. Quel exemple illustre la marge que font les magasins de vêtements sur
les articles qu'ils vendent ?   1 point

....

10. Aujourd'hui, les articles vendus dans le commerce sont souvent...   1,5 point
☐ de faible qualité et chers.
☐ de bonne qualité mais coûteux.
☐ de faible qualité et bon marché.

11. Que signifie « le consommateur doit mettre la main à la poche
plus souvent » ?   1,5 point

....

12. Selon Roselyne Moreau, quelle sera la pratique de consommation
la plus répandue ces prochaines années ?   1,5 point
☐ L'achat de produits en quantité limitée.
☐ L'achat de produits bon marché.
☐ L'achat de produits de qualité.

13. Quel ton emploi Roselyne Moreau à la fin de l'entretien ?   1,5 point
☐ Déterminé.
☐ Pessimiste.
☐ Résigné.

 **7 points**

(Les notes à l'école)

Vous allez entendre une seule fois un enregistrement sonore de 1 minute 40 environ. Vous aurez tout d'abord 1 minute pour lire les questions. Après l'enregistrement, vous aurez 3 minutes pour répondre aux questions. Pour répondre aux questions, cochez (☑) la bonne réponse ou écrivez l'information demandée. Lisez maintenant les questions.

1. Selon l'intervenant, quelle influence exerce la note sur les élèves ?   1 point

....

2. Combien d'élèves y a-t-il en France ?   1 point

....

3. La note a un effet démotivant...   1 point
☐ quand elle intervient trop souvent au cours de l'apprentissage.
☐ quand elle véhicule un message d'échec sans fournir d'explication.
☐ quand elle est donnée à un élève trop jeune pour la comprendre.

4. Quel changement du système de notation est à l'étude ?   1 point

....

5. Quelle est l'attitude des parents face à la note ?   1 point
☐ Ils y sont souvent indifférents.
☐ Ils la trouvent obsolète.
☐ Ils y accordent de l'importance.

6. Pourquoi l'effet que provoque l'obtention d'une bonne note est-il ambigu ?   1 point

....

....

7. Quel rôle devrait remplir la note à l'école ?   1 point
☐ Elle devrait guider l'élève dans ses apprentissages.
☐ Elle devrait permettre une comparaison entre les élèves.
☐ Elle devrait transmettre un message plus clair aux parents.

Compréhension des écrits   1 heure | 25 points

Exercice 1   13 points

Lisez le texte, puis répondez aux questions, en cochant (☑) la bonne réponse ou en écrivant l'information demandée.

Faire rire les salariés, la formule magique des entreprises

Nul besoin de blagues pour rire au travail. En période difficile, certaines entreprises font appel aux professionnels du rire sur commande pour motiver les salariés.

« Faire rire, c'est faire oublier », écrit Victor Hugo dans *L'Homme qui rit*. Pour souder les équipes, respirer dans un séminaire très important ou remotiver les troupes après une période difficile, de plus en plus d'entreprises proposent à leurs salariés... de rire. Yoga du rire, thérapie du rire, énergie du rire, rigologie... pas facile de s'y retrouver dans la multitude de prestataires qui, sans se définir comme humoristes, ont fait du rire leur profession. Leurs clients : Orange, Thales, Adidas, La Poste, SNCF, LVMH, MMA, Danone, Sanofi, GrDF, Adecco, Bouygues, ou encore France Telecom. Des poids lourds pour la plupart du CAC 40.

Parmi les bienfaits recherchés, les entreprises citent le bien-être, la détente et l'épanouissement de leurs salariés. Moins timides sur le sujet, les prestataires promeuvent aussi d'autres bénéfices directs et très concrets pour l'entreprise : rire fait sécréter des « hormones du bonheur » qui dopent l'efficacité, la concentration, l'attention, la confiance en soi... « Si vous donnez une surcharge de travail à une personne, elle va mieux l'accepter et produire de meilleurs résultats », affirme Fabrice Loizeau, directeur de l'institut français du yoga du rire. Puisque tout le monde ne partage pas le même humour, les professionnels font appel au « rire sans raison », un aspect du « yoga du rire » créé par le docteur Kataria en Inde en 1995. Les individus d'un groupe commencent par simuler des rires en disant « ha ha ha, ho ho ho, hi hi hi », puis ces rires, communicatifs et contagieux, deviennent réels. En 2007, des chercheurs américains en psychologie ont fait faire à 33 employés 15 minutes par jour de yoga du rire pendant deux semaines. Ils ont ensuite observé chez ces employés plus d'efficacité, d'optimisme, d'émotions positives, d'empathie et d'adaptabilité.

Lors de séminaires en entreprises, « le programme est en général hyper chargé, sans respiration. Rire permet aux participants de tenir sur la durée », raconte Lou Divine, personnage de scène incarné par Louise Pescheux, ex-consultante et historienne diplômée de Sciences Po. Le rire aurait donc un effet énergisant. Côté entreprise, c'est le même constat : « un salarié épanoui a 99,9 % de chances d'avoir des clients satisfaits », observe Guillaume Richard, président fondateur d'O2. Le groupe de services à la personne ; organise depuis deux ans l'opération « Souriez c'est la rentrée » en septembre, « le moment le plus chargé et le plus stressant de l'année ». L'année dernière, les salariés se sont pressés à l'atelier « yoga du rire ». Avec des retours « majoritairement très positifs et certains plus mitigés », commente Guillaume Richard : « ça nécessite un lâcher-prise par rapport à soi qui peut être compliqué pour certaines personnes ».

« N'importe qui ne peut pas intervenir en entreprise : c'est un exercice de haute volée », rappelle Clémantine Dunne, somato-praticienne spécialisée en pédago-gie perceptive et en thérapie par le rire, fondatrice de l'association Cœur de Rire. On lui dit souvent « moi je travaille au travail, je ris chez moi ». La plupart du temps, la direction ou les ressources humaines ont planifié l'atelier comme une surprise, et les salariés sont pris au dépourvu. « Ils se disent "La direction pète les plombs !" », s'amuse Fabrice Loizeau. « Certains quittent les lieux », confirme Clémantine Dunne, « mais cela dépend de ce que va dire le chef, qui parfois déclare que c'est l'activité pour tout le monde et alors ils doivent jouer le jeu ».

Le contexte dans lequel sont appelés ces professionnels du rire peut s'avérer très tendu. Olivier Ouzé, « entraîneur de bonne humeur », refuse de « déclencher de la bonne humeur parce que l'entreprise ferme, qu'il y a une fusion ou un besoin de produire plus, qu'un cadre supérieur est parti dans des conditions difficiles ». « Il ne faut pas imposer des choses inappropriées. Quand les gens sont en souffrance, ils n'ont pas envie de rire ». Fabrice Loizeau commence toujours par préciser qu'il n'est « pas là au service de la direction qui voudrait vous faire oublier qu'il y a des soucis ». […] Le rire n'a pas vocation à palier un mal-être trop ancré.

Jade Grandin de l'Eprevier, *Le Figaro*, 29 juillet 2015.

1. Cet article...   1 point
☐ montre l'utilité de la pratique du yoga pour être efficace au travail.
☐ présente les bienfaits du rire pour les entreprises et leurs salariés.
☐ explique pourquoi les patrons qui ont de l'humour sont les plus appréciés.

2. Vrai ou Faux ? Cochez la bonne réponse et recopiez la phrase ou la partie
du texte qui justifie votre réponse.   3 points

	Vrai	Faux
a. Les ateliers de thérapie du rire sont encore peu répandus. Justification :		
b. Les entreprises qui font appel à la thérapie du rire sont surtout des petites et moyennes entreprises. Justification :		

3. Citez deux bénéfices de la thérapie du rire mis en avant par les entreprises.
(0,5 point par bonne réponse)   1 point

....

4. Selon les professionnels du rire, l'objectif des entreprises est aussi... 1 point
☐ de créer de nouveaux liens entre direction et salariés.
☐ de limiter le nombre de démissions de salariés.
☐ d'augmenter le rendement des salariés au travail.

5. Expliquez « le rire sans raison » dans la phrase « Puisque tout le monde ne partage pas le même humour, les professionnels font appel au « rire sans raison ». 1 point
....
....

6. Vrai ou Faux ? Cochez la bonne réponse et recopiez la phrase ou la partie du texte qui justifie votre réponse. 2 points

	Vrai	Faux
Rire au travail permet d'avoir davantage d'énergie tout au long de la journée. Justification :		

7. Que signifie la phrase : « ça nécessite un lâcher-prise par rapport à soi qui peut être compliqué pour certaines personnes » ? 1 point
☐ Les ateliers de « yoga du rire » permettent aux participants de découvrir des choses sur eux-mêmes.
☐ Le « yoga du rire » requiert des participants qu'ils aient confiance en leurs propres capacités.
☐ Pour tirer des bénéfices du « yoga du rire », il ne faut pas se prendre trop au sérieux.

8. Olivier Ouzé n'accepte pas d'intervenir... 1 point
☐ au sein de jeunes entreprises.
☐ dans des contextes de malaise social.
☐ auprès de cadres dirigeants.

9. Que signifie « Le rire n'a pas vocation à palier un mal-être trop ancré ». 2 points
....
....

Exercice 2 12 points

Lisez le texte suivant puis répondez aux questions en cochant (☑) ou en complétant la bonne réponse.

Internet, le réseau des plus forts

Auteurs de discours ambitieux sur une planète 100 % connectée où ils seraient capables de se substituer aux États dans tous les domaines, les mastodontes comme Facebook, Alphabet, Microsoft ou Apple ont en plus les moyens de leur mise en œuvre. Pas de quoi rassurer les défenseurs d'un modèle social et solidaire.

Ce ne sont pas (encore) des nations, mais ce sont des empires, dont les indicateurs donnent le vertige. Plus d'1,5 milliard d'utilisateurs pour Facebook, plus d'1 milliard de smartphones vendus sous Android et autant d'accros à Gmail pour Alphabet, la maison mère de Google, un chiffre d'affaires avoisinant le PIB de la Grèce pour Apple... Ces sociétés qui façonnent le monde numérique ne sont pas des mastodontes capitalistes comme les autres. Elles portent en elles une vision, une utopie qui veut changer la façon d'appréhender le quotidien. Et l'alpha et l'oméga de cette idéologie, c'est Internet, considéré à la fois comme moteur du changement et objectif ultime. [...]

« Notre travail ici est plus important qu'il ne l'a jamais été », a proclamé Mark Zuckerberg mi-avril, en introduction du F8, grand raout dédié aux développeurs de l'écosystème Facebook. Et le boss du réseau social de répéter comme un mantra la mission qui est la sienne : « Bring people together » (« rassembler les gens »). Les déclarations d'intentions, plus enthousiastes les unes que les autres, se succèdent. Il faut ainsi « donner à chacun une voix, pour une libre circulation des idées, des cultures à travers les pays ». Pour illustrer le pouvoir de la connexion, Mark Zuckerberg évoque alors cette mère en Inde qui va réussir à nourrir sa famille, ce père aux États-Unis qui veut lutter contre le réchauffement climatique, cette fille en Sierra Leone qui va pouvoir accéder aux soins, ou encore ce fils en Syrie qui va tout faire pour s'en sortir. Le patron aux tee-shirts gris s'envole pour conclure : « Au lieu de construire des murs, nous pouvons aider plus de gens à construire des ponts. Au lieu de diviser les gens, nous pouvons les rassembler. Et nous le construisons une connexion à la fois, une innovation à la fois, jour après jour. » [...]

Techno-enthousiasme

Du côté d'Alphabet, on n'est pas en reste. Le PDG Sundar Pichai expliquait, lors d'une conférence organisée en février par Sciences Po Paris : « Internet a transformé la façon dont on apprend, dont on travaille, dont on vit. Il permet aux gens de se connecter avec leurs proches, de les éduquer [...] ou d'explorer le monde. Je crois à l'extraordinaire effet d'émancipation et de démocratisation de mettre le savoir à portée de tout le monde, partout. Cette conviction est ce qui nous pousse à remplir notre mission. » Un techno-enthousiasme qui n'est pas nouveau, certes, mais qui semble revenir en force ces derniers temps, plus emphatique encore. [...]

Intelligence artificielle, robotique, réalité virtuelle et augmentée, biotechnologies et même l'ultime frontière, l'espace, sont au programme des gourous de la Silicon Valley. Et il ne s'agit pas de promesses en l'air. Ils y croient et ils ont les moyens de les faire aboutir, espérant ainsi entraîner l'humanité dans la direction qu'ils ont choisie.

Erwan Cario, *Libération*, 14 mai 2016.

1. Quel est le thème principal de cet article ?   1 point

....

2. Selon l'auteur, qu'est-ce qui distingue Facebook, Google et Apple des autres entreprises multinationales ?   1 point

....

3. Vrai ou Faux ? Cochez la bonne réponse et recopiez la phrase ou la partie du texte qui justifie votre réponse.   3 points

	Vrai	Faux
a. Internet est le principal outil de transformation du quotidien. Justification :		
b. Le fondateur de Facebook tient des discours fédérateurs. Justification :		

4. Citez deux histoires qui ont été rendues possibles grâce à Facebook, d'après son fondateur. (0,5 point par bonne réponse)   1 point

....

....

5. Expliquez le sens de la phrase « *Au lieu de construire des murs, nous pouvons aider plus de gens à construire des ponts* ».   1 point

....

ÉPREUVE COLLECTIVE 1

6. Le PDG de la société Alphabet insiste sur les effets positifs d'Internet...   1,5 point
☐ dans le monde de l'entreprise.
☐ en matière d'accès à l'information.
☐ dans les régions défavorisées.

7. Expliquez l'expression « les gourous de la Silicon Valley » ?   2 points

....

....

8. « Il ne s'agit pas de promesses en l'air. Ils y croient et ils ont les moyens
de les faire aboutir » véhicule une idée de...   1,5 point
☐ détermination.
☐ précaution.
☐ manipulation.

Production écrite

1 heure | 25 points

ÉPREUVE COLLECTIVE 1

Demande argumentée

Vous résidez en France. Vous écrivez au maire de votre ville pour vous indigner des nuisances sonores provoquées tous les soirs par les jeunes qui fréquentent le nouveau centre culturel. Au nom de l'association « Quartier calme » dont vous êtes le/la Président(e), vous lui signifiez votre indignation et vous lui faites des propositions pour améliorer la situation. (250 mots minimum)

....

....

....

....

....

....

....

....

....

....

....

....

....

....

....

....

....

....

....

....

....

....

....

....

....

Production et interaction orales

20 minutes | 25 points

Vous tirerez au sort deux documents parmi ceux proposés par l'examinateur et vous en choisirez un. Vous disposez de 30 minutes de préparation. Vous dégagerez le problème soulevé par le document choisi. Vous présenterez votre opinion sur le sujet de manière claire et argumentée.

Si nécessaire, vous défendrez votre opinion au cours du débat avec l'examinateur.

Sujet 1 — La lecture aux enfants a-t-elle des effets sur le cerveau ?

La lecture à voix haute aux enfants avant de dormir permettrait un développement plus rapide de leurs capacités intellectuelles. Des chercheurs de l'hôpital pour enfants de Cincinnati (États-Unis) ont récemment mené des examens qui ont mis en évidence ces résultats. À condition qu'elle ne soit pas poursuivie jusqu'à des heures indues, la lecture aux enfants avant le sommeil renforcerait la mémoire, la concentration et la créativité. Elle aurait un effet direct sur les résultats scolaires dès le plus jeune âge. Les recherches prouvent également l'impact biologique sur le fonctionnement du cerveau. Le développement socio-émotionnel pourrait également être influencé par la lecture mais ce domaine reste peu exploré.

D'après *https://www.actualitte.com*, 25 août 2015.

Sujet 2 — Le tatouage a-t-il encore un sens ?

Le tatouage est une pratique millénaire qui, aujourd'hui, s'est totalement démocratisée. En témoignent les nombreuses conventions autour du tatouage organisées à travers le monde. Le tatouage n'a aujourd'hui rien de subversif. Il est banalisé. Les raisons de se tatouer sont multiples : marquer le passage à une nouvelle étape de la vie, se rassembler ou bien encore exprimer ses valeurs. Le tatouage fait maison pourrait aussi venir révolutionner le monde du tatouage. L'anglais Jakub Pollág a récemment imaginé une machine à tatouer personnelle, un dermographe simplifié qu'il a conçu pour « démocratiser l'industrie du tatouage ».

D'après Katia Touré, *Huffington Post*, 4 mars 2016.

Compréhension de l'oral

30 minutes | 25 points

Vous allez entendre 2 fois un enregistrement sonore de 5 minutes environ. Vous aurez tout d'abord une minute pour lire les questions. Puis vous écouterez une première fois l'enregistrement. Concentrez-vous sur le document. Vous aurez ensuite 3 minutes pour répondre aux questions. Vous écouterez une deuxième fois l'enregistrement. Vous aurez encore 5 minutes pour compléter vos réponses.

Exercice 1 | 18 points | PISTE 47

(RFI, *Anciela, incubateur lyonnais d'engagements citoyens*, 12 juin 2016)

Lisez les questions, écoutez le document puis répondez.

1. Cette émission est...   1 point
a. ☐ un débat.
b. ☐ un reportage.
c. ☐ un flash d'informations.

2. Quel titre donneriez-vous à ce document ?   1 point
a. ☐ Anciela, une association contre la crise économique et politique.
b. ☐ Anciela, incubateur lyonnais d'engagements citoyens.
c. ☐ Anciela, un collectif pour l'environnement.

3. Qui est Martin Durigneux ?   1 point
a. ☐ Bénéficiaire d'un projet Anciela.
b. ☐ Porteur d'un projet de l'association Anciela.
c. ☐ Formateur à Anciela.
d. ☐ Président et fondateur d'Anciela.

4. Quelles sont les deux principales missions d'Anciela ?   1 point
a. ☐ Susciter et accompagner les engagements citoyens.
b. ☐ Financer des projets liés à l'environnement.
c. ☐ Accompagner des initiatives citoyennes.
d. ☐ Former les citoyens à s'engager dans la politique.

5. En quelle année est née l'association ?   1 point

....

....

6. Quel âge avait Martin Durigneux au moment de la création de l'association ?   1 point

....

....

ÉPREUVE COLLECTIVE 2

7. Quelles actions étaient organisées par l'association au départ ?   3 points

a. ☐ Création d'un blog.

b. ☐ Création d'un petit journal.

c. ☐ Organisation d'ateliers.

d. ☐ Animation de formations.

e. ☐ Organisation d'événements.

8. En 2012, en quoi l'association s'est développée ?   1 point

....

....

9. Aujourd'hui, combien de bénévoles sont engagés dans l'association ?   1 point

....

....

10. Quelles sont les thématiques de la majorité des initiatives d'Anciela ?   3 points

a. ☐ Alimentation.

b. ☐ Politique.

c. ☐ Pauvreté.

d. ☐ Santé.

e. ☐ Éducation.

f. ☐ Déchets.

11. Quels enjeux retrouve t-on dans toutes les initiatives d'Anciela ?   3 points

a. ☐ Améliorer ses compétences.

b. ☐ Rechercher du sens.

c. ☐ Créer du lien social.

d. ☐ Partager ses connaissances.

12. En quoi consiste le projet « La maison Upcycling » ?   1 point

....

....

....

Exercice 2   7 points   PISTE 48

(France Info, Mort de la 3D, 15/02/2016)

**Vous allez entendre une seule fois un enregistrement sonore de 1 minute 30 à 2 minutes. Vous aurez tout d'abord 1 minute pour lire les questions.
Après l'enregistrement, vous aurez 3 minutes pour répondre aux questions.
Répondez aux en cochant (☑) la bonne réponse ou en écrivant l'information demandée. Lisez maintenant les questions.**

1. Entre 2010 et 2013, la 3D...   1 point
a. ☐ n'était pas utilisée.
b. ☐ était au plus haut de son succès.
c. ☐ risquait déjà de mourir.

2. En 2016, la technologie 3D...   1 point
a. ☐ risque de disparaître.
b. ☐ est appréciée par le grand public.
c. ☐ est en plein essor.

3. En 2016, Samsung...   1 point
a. ☐ proposera seulement 20 % de téléviseurs compatibles 3D.
b. ☐ ne proposera plus de téléviseurs 3D.
c. ☐ développera les téléviseurs en 3D.

4. La technologie 3D a souffert du manque de contenus.   1 point
a. ☐ Vrai.
b. ☐ Faux.
c. ☐ On ne sait pas.

5. Selon le journaliste, la 3D...   1 point
a. ☐ est peut-être arrivée au mauvais moment sur le marché.
b. ☐ s'est généralisée au cinéma.
c. ☐ a eu du succès grâce aux systèmes de lunettes.

6. Par quelle technologie, l'image en 3D est aujourd'hui concurrencée ? Pourquoi ?   1 point

....

....

7. Comme de nombreux utilisateurs, le journaliste trouve que la 3D est inutile.   1 point
a. ☐ Vrai.
b. ☐ Faux.
c. ☐ On ne sait pas.

Compréhension des écrits   35 minutes   25 points

Exercice 1   13 points

Lisez le texte, puis répondez aux questions, en cochant (☑) la bonne réponse ou en écrivant l'information demandée.

Projets interdisciplinaires : la victoire du collège Stalingrad

Le collège Stalingrad, à Saint-Pierre-des-Corps (37), n'a pas attendu la réforme pour mettre en pratique l'enseignement interdisciplinaire. Et malgré quelques bémols, ses élèves bénéficient d'un joli taux de réussite au brevet.

[…] « Ils ont 13 ans, c'est l'âge le plus difficile, ils n'écoutent rien, traînent et oublient tout ! Difficile de les intéresser », chuchote Anne Perseval, professeur d'histoire-géographie de cette classe de quatrième, au collège Stalingrad, à Saint-Pierre-des-Corps, dans la banlieue de Tours. […]

Inscrits dans la réforme du collège de la ministre de l'Éducation nationale, Najat Vallaud-Belkacem, les enseignements pratiques interdisciplinaires seront obligatoires dans tous les collèges à la rentrée 2016. Au collège Stalingrad, ils sont déjà au cœur du projet d'établissement. Trois fois par an, pendant une semaine, les emplois du temps sont chamboulés pour faire place aux différents ateliers. Enthousiaste, Anne Perseval détaille : « Les élèves constatent que les matières sont connectées entre elles, utiles les unes aux autres. J'ai du mal à le mesurer en termes scolaires classiques, mais je vois que les notions sont mieux retenues, mieux exploitées par la suite. » Enseignante depuis près de trente ans, elle participe à presque tous les projets, avec ses collègues de maths, de français, de sport, de musique… « Ce travail en équipe est bon pour les enfants et pour nous. Cela nous oblige à ouvrir les portes de nos salles et de nos disciplines », ajoute Annie Perrot, professeur de lettres.

Dès 8 h 30, les sixièmes ont démarré leur journée avec le projet « Raconte ta ville », subventionné par le Canopé (réseau de création et d'accompagnement pédagogique du département), qui fournit formation et matériel. Avec Annie Perrot, Anne Perseval et leurs collègues de mathématiques et de technologie, les élèves vont réaliser un webdocumentaire sur leur ville. […]. « Souvent, explique Stéphanie Sihr, à cet âge – 11 ans –, ils ne font pas le lien entre nos disciplines. Là, ils voient de la cohérence, les apprentissages font sens. Les acquis sont considérables. » […]

La principale, Fatma Meddah, encourage et développe cette manière de travailler depuis son arrivée, en 2012. « Les projets interdisciplinaires amènent les bons élèves à s'améliorer encore et impliquent les plus fragiles, en faisant appel à des compétences manuelles, techniques, informatiques, et pas seulement au savoir classique. » […]

Au printemps, puis à la rentrée, une partie du corps enseignant s'est mobilisée contre les enseignements interdisciplinaires, perçus comme un appauvrissement des matières et de la liberté pédagogique de chacun. Les profs du collège Stalingrad, eux, n'ont pas besoin d'être convaincus de leurs bienfaits. Pourtant, leur généralisation et leur caractère désormais obligatoire les inquiètent. « Tout repose sur nos idées et notre désir, remarque Anne Perseval. Avec des projets imposés, j'ai peur de me sentir contrainte et de manquer parfois d'inspiration. » […]

Dès lundi prochain, les collégiens réintégreront des cours classiques, dans un emploi du temps revenu à la normale. Jusqu'à la prochaine semaine de projets, prévue par la principale avant les vacances de Noël. Pour Fatma Meddah, c'est largement grâce à ce travail que le collège Stalingrad est passé, en trois ans, de 70 à 93 % de réussite au diplôme national du brevet, avec 55 % de mentions.

Télérama, Juliette Bénabent, « Projets interdisciplinaires : la victoire du collège Stalingrad », 6 décembre 2015.

1. Cet article...   1 point

a. ☐ démontre les difficultés des enseignants à mettre en œuvre une réforme au sujet des enseignements interdisciplinaires.

b. ☐ dénonce la réforme rendant obligatoire les enseignements interdisciplinaires au collège.

c. ☐ présente la réussite de projets interdisciplinaires dans un collège avant la réforme les rendant obligatoires.

2. Expliquez avec vos propres mots ce qu'est l'enseignement interdisciplinaire.   1,5 point

....

....

3. Citez un exemple de projet interdisciplinaire mis en place au collège Stalingrad.   1 point

....

....

4. Au collège Stalingrad, les projets d'enseignement interdisciplinaires sont mis en place...   1 point

a. ☐ trois semaines par mois.

b. ☐ une semaine trois fois par an.

c. ☐ une semaine pendant trois mois.

d. ☐ toute l'année.

5. Relevez, dans ce texte, trois impacts positifs des projets d'enseignements interdisciplinaires présentés par l'équipe pédagogique du collège Stalingrad.   1,5 point

....

....

ÉPREUVE COLLECTIVE 2

6. Relevez, dans le texte, un argument contre les projets d'enseignement interdisciplinaires.

1 point

....

7. Vrai ou Faux ? Cochez la bonne réponse et recopiez la phrase ou la partie du texte qui justifie votre réponse. (1,5 point par affirmation à traiter. Le candidat obtient la totalité des points si le choix VRAI/FAUX ET la justification sont correctes, sinon aucun point n'est attribué.)

3 points

	Vrai	Faux
a. Grâce aux projets interdisciplinaires, le taux de réussite à l'examen national a augmenté au collège Stalingrad. Justification :		
b. La nouvelle réforme inquiète les enseignants du collège Stalingrad, même s'ils pensent que les projets d'enseignement interdisciplinaires sont bénéfiques. Justification :		

8. Quelles compétences les élèves développent-ils grâce aux projets interdisciplinaires ?

1,5 point

....

....

9. Que signifie, dans ce contexte : « les emplois du temps sont chamboulés ».   1,5 point
a. ☐ Les emplois du temps sont trop chargés.
b. ☐ Les emplois du temps sont adaptés aux rythmes scolaires.
c. ☐ Les emplois du temps habituels sont modifiés.

Exercice 2   **12 points**

Lisez le texte, puis répondez aux questions, en cochant (☑) la bonne réponse ou en complétant la bonne réponse.

Interdisons les pesticides néonicotinoïdes

Osons le dire, nous sommes technologiquement époustouflants, mais affligeants à bien des égards. Nous croulons sous l'avalanche de rapports qui pointent du doigt les impacts sanitaires et environnementaux de nos modes de vie, mais le sujet santé-environnement reste le parent pauvre de l'action publique. Plusieurs dizaines de milliards d'euros par an sont consacrés à la santé, mais les actions de prévention n'en représentent que 2,3 %, une part dérisoire. Pourtant, appliquer plus scrupuleusement le principe de prévention générerait des bienfaits sanitaires, écologiques et économiques.

Un manque de clairvoyance dont les pesticides néonicotinoïdes sont l'un des symboles. En janvier, en première lecture du projet de loi pour la reconquête de la biodiversité, les sénateurs ont voté contre l'interdiction des pesticides néonicotinoïdes, pourtant bien connus pour leur dangerosité. Inondant près de 40 % du marché des insecticides, ils agissent sur le système nerveux central des insectes et sont d'une redoutable efficacité pour éliminer les ravageurs des cultures qu'ils sont censés cibler… Malheureusement, ils ont une portée qui dépasse leur périmètre d'action initial ! Seul de 2 % à 20 % du produit atteint réellement sa cible, le reste contamine les sols et l'eau.

Un désastre sanitaire et écologique

Les abeilles et autres pollinisateurs sont les symboles malheureux de ce désastre sanitaire et écologique. Plus de 85 % des espèces végétales sur terre s'appuient sur l'action des pollinisateurs. Difficile d'imaginer un seul repas auquel les abeilles ne soient pas conviées. À elle seule, et à titre gracieux, une ruche peut polliniser jusqu'à 3 millions de fleurs en une journée. La valeur économique de l'activité pollinisatrice des insectes est estimée par l'INRA [Institut national de la recherche agronomique] à 153 milliards d'euros, soit 9,5 % en valeur de l'ensemble de la production alimentaire mondiale.

Et pourtant, dans certaines régions françaises, près de trois quarts des essaims d'abeilles domestiques ont disparu. Au fil du temps, nous nous sommes octroyé une succession de permis de tuer des organismes vivants considérés comme nuisibles… au point de contaminer toutes les composantes de la chaîne alimentaire, depuis la terre nourricière en passant par les insectes pollinisateurs, jusqu'à, semble-t-il, atteindre le cerveau des fœtus ! Nous empoisonnons la Terre autant que nos veines.

Une agriculture saine, qui se rend service à elle-même

Et ça ne s'arrête pas là. À l'alerte environnementale s'ajoutent les problèmes économiques pour les apiculteurs, qui deviendront à terme ceux des agriculteurs dont la production dépend de la pollinisation. Certains diront qu'interdire les pesticides néonicotinoïdes, c'est ajouter une difficulté à celles qui étouffent déjà le monde agricole. Au contraire, il est temps d'anticiper les problèmes, de parier sur la biodiversité et d'investir dans une agriculture saine, qui se rend service à elle-même. D'autres pays ont montré l'exemple et mis en œuvre des méthodes alternatives efficaces ; la recherche doit continuer en ce sens.

Si la France a contribué à limiter l'usage de trois de ces substances – clothianidine, imidaclopride et thiaméthoxam – en 2013 au niveau européen, le moratoire* doit être revu ces prochains mois. En attendant, une action nationale plus ambitieuse se fait attendre. Le projet de loi sur la biodiversité est l'occasion qu'il faut saisir.

Mesdames et messieurs les Parlementaires, ces produits sont toxiques. Pouvons-nous faire fi de toutes les alertes que les scientifiques mettent à notre

ÉPREUVE COLLECTIVE 2

disposition pour éclairer nos choix ? Pouvons-nous repousser indéfiniment les décisions à prendre ? En détruisant la biodiversité, notre propre sort est en jeu. Interdisons les pesticides néonicotinoïdes.

Nicolas Hulot, président de la Fondation Nicolas Hulot pour la nature et l'homme, *Le Monde.fr*, 13 mars 2016.

* un moratoire : fait de suspendre une action, un processus.

1. Quel est l'objectif de cet article ?   1 point

a. ☐ Analyser les impacts sanitaires des pesticides néonicotinoïdes dans l'agriculture afin d'améliorer les productions des apiculteurs.

b. ☐ Dénoncer les impacts sanitaires sur l'environnement des pesticides néonicotinoïdes afin de faire interdire leur utilisation.

c. ☐ Comparer l'utilisation des pesticides néonicotinoïdes en France par rapport à d'autres pays européens à dominante agricole.

2. Expliquez le sens, dans ce texte, de la phrase « Nous empoisonnons la Terre autant que nos veines » ? Répondez avec vos propres mots.   1,5 point

....

....

3. Quelle est la part des pesticides néonicotinoïdes dans le marché des insecticides ?   1 point

....

....

4. Vrai ou Faux ? Cochez la bonne réponse et recopiez la phrase ou la partie du texte qui justifie votre réponse. (1,5 point par affirmation à traiter. Le candidat obtient la totalité des points si le choix VRAI/FAUX ET la justification sont correctes, sinon aucun point n'est attribué.)   4,5 points

	Vrai	Faux
a. Les actions publiques de prévention représentent une part importante du budget consacré à la santé. Justification :		
b. Les pesticides réputés dangereux ont été interdits par un vote de sénateurs. Justification :		
c. Les abeilles et autres pollinisateurs ont un rôle économique dans la production alimentaire. Justification :		

5. Quelles solutions alternatives à l'utilisation des pesticides prône Nicolas Hulot ?   1 point

....

....

6. À qui s'adresse Nicolas Hulot ?   1 point

....

....

7. Parmi ces arguments, cochez ceux que prônent Nicolas Hulot pour convaincre
ses destinataires d'interdire les pesticides ?   1 point
a. ☐ Ces pesticides transmettent les maladies des insectes nuisibles.
b. ☐ Ces pesticides sont toxiques.
c. ☐ Ces produits détruisent la biodiversité.
d. ☐ Ces produits risquent de provoquer des inondations.

8. Quel est le ton employé dans ce texte ?   1 point
a. ☐ Ironique.
b. ☐ Injonctif.
c. ☐ Sceptique.

Production écrite

25 points

Vous vivez en France et vous n'êtes pas satisfait de la qualité des repas pris par vos enfants à la cantine de leur école. Vous écrivez une lettre au directeur de l'école afin de faire part des raisons de votre mécontentement, et vous proposez des suggestions d'amélioration. (250 mots minimum)

Production et interaction orales | 25 points |

Vous tirerez au sort deux documents parmi ceux proposés par l'examinateur et vous en choisirez un. Vous dégagerez le problème soulevé par le document choisi. Vous présenterez votre opinion sur le sujet de manière claire et argumentée. Si nécessaire, vous défendrez votre opinion au cours du débat avec l'examinateur.

Sujet 1   Un emploi étudiant, oui, mais à petites doses

Le gouvernement intensifie les dispositifs pour favoriser le travail des étudiants. Depuis le 1er janvier, les étudiants salariés gagnant plus de 890 euros par mois – pendant trois mois – sont en effet éligibles à la nouvelle « prime d'activité ». […]

Aujourd'hui, environ un étudiant sur deux travaille – 45 % selon la dernière enquête de l'Observatoire de la vie étudiante parue en 2013 –, notamment les boursiers. Mais travailler pour financer ses études ne rime pas toujours avec réussite. « La question se pose tout particulièrement en licences générales, où, pour ne pas être pénalisant, le travail doit rester à petite dose et compatible avec le suivi des cours, explique Yannick L'Horty, professeur d'économie à l'université Paris-Est Marne-la-Vallée (UPEM) et spécialiste de l'insertion professionnelle.

« Pour schématiser, un bon emploi étudiant a les caractéristiques contraires d'un bon emploi non étudiant : il doit offrir peu d'heures de travail, être occasionnel, flexible et temporaire, explique M. L'Horty. Les moins présents aux cours magistraux sont ceux qui décrochent », prévient-il. Philippine Ader, ex-conseillère de vente dans une chaîne de magasins et étudiante en droit à Poitiers, en a fait la difficile expérience. Elle travaillait une dizaine d'heures, les mercredis et vendredis après-midi, mais parfois on lui demandait d'effectuer jusqu'à trente-cinq heures.

Le Monde, Adrien de Tricornot, 17 février 2016.

Sujet 2   Comment la méditation peut vous aider à déconnecter des réseaux sociaux ?

Les conseils de Béryl Marjolin, intervenante en méditation de pleine conscience, avant de consulter frénétiquement son fil Facebook ou Twitter. Et se précipiter sur son téléphone à chaque fois qu'il sonne.

C'est devenu un automatisme. On attrape son smartphone entre 100 et 250 fois par jour, selon différentes études. Pour regarder ses emails, ou jeter un coup d'œil à son fil Facebook ou Twitter.

À tel point que certaines fois, on ne fait plus vraiment attention à ce qu'il se passe autour de nous, à notre entourage, à ce que l'on vit, ressent au moment présent.

Beryl Marjolin, intervenante en mindfulness*, nous apprend comment la méditation, par une technique simple, peut nous aider à ne pas agir comme des robots, et à réfléchir à deux fois avant d'attraper son smartphone.

Aurélien Viers, Cédric Cousseau et Arthur Tirat, *L'OBS*,
http://tempsreel.nouvelobs.com, 5 juin 2015.

*mindfulness : pleine conscience.

TRANSCRIPTIONS

SE PRÉPARER

Activité 1, p.12 PISTE 2

Extrait 1

– Êtes-vous pour ou contre la gratuité des transports publics ?

– Je suis pour. Je pense que c'est une excellente idée et en plus ça va réduire la circulation et donc la pollution.

– Je suis totalement contre. On va encore financer tout ça avec l'argent des impôts, c'est-à-dire notre argent.

– Ah oui, je suis pour. Je pense qu'on dépense trop d'argent dans les transports en commun.

– À vrai dire, ça m'est égal. Je n'utilise pas les transports en commun. Peu importe.

– Contre. C'est une mauvaise idée. Ça va encore faire augmenter les impôts.

– Je suis pour. C'est déjà en pratique dans d'autres villes. Il faudrait que notre ville s'y mette.

– Je suis contre. Je pense que c'est une stratégie politique pour récupérer des électeurs.

Extrait 2

– Je reçois aujourd'hui un artiste de talent. Comédien, dramaturge, traducteur et metteur en scène, il a dirigé le théâtre de l'Odéon et il est devenu le directeur du festival d'Avignon, l'une des plus importantes manifestations internationales du spectacle vivant contemporain. Bonjour Olivier Py.

– Bonjour.

– Le festival commence la semaine prochaine et comme toujours, les amateurs de théâtre pourront assister à des spectacles très divers. Alors, première question Olivier Py, quels sont les spectacles à ne pas rater cette année ?

– Cette année, il ne faudra pas rater le spectacle de danse de l'artiste Angelin Preljocaj. Et il faut aussi aller voir la pièce qui s'intitule *Meursaults* créée d'après le livre de Kamel Daoud.

Extrait 3

– Dimanche, à Paris, de 11 heures à 18 heures, vous n'entendrez pas le bruit habituel des voitures car la conduite des véhicules individuels est interdite dans certaines parties de la ville, c'est-à-dire sur les Champs-Élysées, près de la Tour Eiffel, et dans le centre de Paris. Nous sommes allés interroger des Parisiens pour leur demander leur avis sur cette initiative.

– La journée sans voiture, à mon avis, c'est une excellente idée parce que la ville de Paris possède un système de transport public très développé et vraiment performant. Je pense que nous devons changer nos habitudes de transport. C'est important pour limiter la pollution et préserver notre cadre de vie.

Extrait 4

Chers auditeurs, comme chaque vendredi matin, nous nous intéressons à un ou deux mots de la langue française. Aujourd'hui, j'ai choisi de vous parler de deux mots qui sont à la fois inséparables et opposés. Il s'agit des adjectifs « urbain » et « rural ». C'est-à-dire ville et campagne.

C'est une vieille opposition entre deux espaces qui divisent le pays, entre les citadins et les campagnards, entre le rat des villes et le rat des champs. En résumé, « urbain » et « rural » sont deux mots en compétition et en même temps en opposition. Et ce que je trouve amusant, c'est que notre perception de la société contemporaine vient d'une époque lointaine. En latin, le mot « rus » qui signifie la campagne était opposé à « urbs » qui signifie la ville.

Extrait 5

– Aujourd'hui dans notre émission, nous allons parler de la lutte contre l'échec scolaire avec trois invités. Marianne Mercier, vous êtes enseignante en histoire-géographie au collège. Bonjour.

– Bonjour.

– Maxime Duval. Vous êtes sociologue et vous venez de publier un livre intitulé *En finir avec l'échec scolaire*. Bonjour.

– Bonjour.

– Et Michel Legrand, vous êtes maître de conférence à l'Université de Bordeaux. Bonjour et merci d'être venu.

– Bonjour et merci.

– Je rappelle quelques chiffres sur l'échec scolaire. Chaque année, en moyenne, 150 000 élèves quittent le système éducatif sans aucun diplôme, c'est-à-dire presque 1 jeune sur 5. Je commence par vous Marianne Mercier. Selon vous, quelles sont les causes de l'échec scolaire ?

Extrait 6

– Bonsoir Mathieu Lefebvre. Je vous remercie de nous avoir rejoint. En face de vous, se trouve David Martinez et à côté Marc Fontaine. Mathieu Lefebvre, vous êtes député et vous êtes favorable à l'idée de développer le travail le dimanche. C'est bien ça ?

– Oui, effectivement, j'approuve cette idée. Je pense que notre code du travail doit s'adapter aux besoins des entreprises. Je rappelle que le marché du travail a beaucoup changé.

– Je donne maintenant la parole à David Martinez. Vous êtes syndicaliste et vous êtes opposé à la généralisation du travail le dimanche.

– Oui, je suis complètement contre ce que vient de dire M. Lefebvre concernant le travail dominical. Le dimanche a toujours été un jour de repos pour les salariés et doit absolument le rester.

Activité 2, p.13 PISTES 3 à 6

Extrait 1 PISTE 3

Histoire :

– À partir de quand le français est-il devenu la langue officielle en France ? À quel moment la langue française s'est-elle imposée dans tout le pays ?

– Elle a réussi à s'imposer à partir du XVIe siècle lorsque François Ier, le roi de France, a publié l'Ordonnance de Villers-Cotterêts en 1539, qui était un texte de lois qui exigeait que tous les documents relatifs à la vie publique, c'est-à-dire les documents administratifs, les actes de justice, etc., soient rédigés en français à la place du latin.

Extrait 2 PISTE 4

Politique :

– C'est bientôt les élections législatives et les sondages

nous prédisent déjà un faible taux de participation. Alors, pour vous, Gérald Rolland, y a-t-il une différence entre ceux qui ne vont pas voter et ceux qui votent blanc ?

– Selon moi, les citoyens qui ne vont pas voter perdent le droit d'exprimer leur mécontentement et laissent les autres décider à leur place. Les gens qui ne votent plus sont souvent des électeurs qui ont perdu espoir. Au contraire, je pense que voter blanc reste le meilleur moyen d'exprimer son insatisfaction face aux différents projets des candidats et cela permet aussi d'exercer une certaine pression sur les élus.

Extrait 3 `PISTE 5`

Sport :

La fin du tournoi des Six Nations de rugby approche. Demain aura lieu le dernier match des Bleus et ce sera contre l'Angleterre. Il est intéressant de remarquer que le rugby français attire de plus en plus de jeunes et cette année, c'est la région parisienne qui a le plus d'inscrits en France. Il est important de savoir aussi que dans ce tournoi des Six Nations 8 joueurs de l'équipe de France ont commencé à jouer au rugby en Ile-de-France. La passion du rugby dans la région parisienne. C'est un reportage de Rémy Chevalier.

Extrait 4 `PISTE 6`

Culture :

Linguiste, critique mais aussi essayiste et romancier, Roland Barthes s'intéressait à tous les sujets de son temps et notamment à la condition des femmes dans la société, aux discours politiques et aux objets de la vie quotidienne sur lesquels il a écrit l'une de ses œuvres principales, *Mythologies*. Il est difficile de faire une synthèse de sa pensée et par conséquent l'idée de cette exposition est plutôt d'inviter les visiteurs à se balader dans une partie de la Bibliothèque nationale de France et à découvrir sur de grandes toiles blanches ses citations les plus célèbres à côté des belles photos de l'actrice Greta Garbo.

Activité 3, p.13

Extrait 1 `PISTE 7`

– Il y a quelques mois encore, les Français étaient satisfaits d'apprendre que le prix du pétrole avait baissé et les économistes y voyaient un signe positif de la croissance mondiale. Aujourd'hui, le monde de la finance montre du doigt le faible prix du pétrole. On considère maintenant cette baisse comme un risque pour la stabilité du marché. Comment un tel changement d'opinion sur le prix du pétrole est-il possible, Clément Rousseau ?

Extrait 2 `PISTE 8`

– Selon vous, comment transmettre aux enfants le goût des langues étrangères ?

– La meilleure manière de les habituer aux sonorités étrangères, c'est de voyager avec eux. Il faut aussi les encourager à avoir des correspondants étrangers à qui ils peuvent écrire régulièrement. Les échanges linguistiques permettent aussi aux enfants de s'immerger dans une autre culture et de vite progresser en langue étrangère. Ces échanges motivent beaucoup et donnent du sens à l'apprentissage. Je pense que les enfants doivent commencer à apprendre les langues étrangères le plus tôt possible. 5 ans, par exemple, est l'âge idéal pour commencer.

Extrait 3 `PISTE 9`

Nous parlons aujourd'hui des entretiens d'embauche. En général, ce sont des situations angoissantes pour ceux qui postulent et les recruteurs constatent qu'un grand nombre de candidats manquent souvent de préparation et n'ont pas toujours le comportement attendu pendant les entretiens d'embauche. Avant tout, il est très important de se renseigner sur la société qui recrute, de savoir résumer son expérience professionnelle. Il faut aussi faire attention à son apparence et savoir poser les bonnes questions. Les entretiens à distance en visio-conférence sont de plus en plus fréquents et, par conséquent, cela demande une préparation particulière.

Extrait 4 `PISTE 10`

– Les soldes commencent ce matin mais on peut se demander si elles attirent encore beaucoup de monde étant donné que pendant toute l'année, il y a des promotions, des offres spéciales, des ventes privées et aussi la forte concurrence d'Internet. C'est un reportage de Jérôme Fournier.

– Les soldes, non, je ne les fais pas parce que j'ai l'habitude de faire les ventes privées. On nous envoie des textos pour nous informer du prix des articles en promotion et puis on vient tout acheter. Il y a souvent du moins 50 %.

Extrait 5 `PISTE 11`

– Pourquoi les médicaments du sommeil ont-ils une si mauvaise réputation ?

– Parce qu'ils sont tout simplement très dangereux.

– Pourquoi sont-ils dangereux ?

– Pour de nombreuses raisons. Avant tout, pour moi, le mot *somnifère* est une véritable escroquerie parce que ça n'aide pas à dormir. Les somnifères, ça anesthésie, et par conséquent, ça ne donne pas un sommeil de qualité, et ça empêche de bien récupérer. Ils offrent un sommeil artificiel qui ne permet pas de renforcer le système immunitaire et de nettoyer le cerveau. De plus, et c'est le deuxième problème, ce sont des produits qui gênent la respiration.

Activité 4, p.14 `PISTE 12`

– Un grand musée de la région du Nord développe depuis 3 ans un programme d'enseignement du français axé sur l'art et l'étude de tableaux.

– L'apprentissage de la langue française pour les étrangers nouvellement arrivés en France se fait en général avec des livres d'images plus ou moins intéressants à partir desquels chacun est amené à s'exprimer. Françoise Delaunay, chargée de mission éducative et culturelle au musée des Beaux-Arts, a créé une méthode d'apprentissage toujours à base d'images, mais beaucoup plus colorée. Chaque semaine, elle présente avec ses conférencières des peintures aux étudiants étrangers tout en leur enseignant la langue française.

Activité 5, p.14 `PISTE 13`

– Ils sont une cinquantaine et leurs tâches quotidiennes seront désormais filmées. Bonjour Jean-Claude Boucher.

– Bonjour.

– Vous êtes le maire de Cavaillon. Pourquoi mettre en œuvre un tel dispositif ?

– Disons que ce dispositif est un dispositif complémentaire puisque depuis 2009, nous avons une politique très active sur le plan de la sécurité avec la police municipale et ces caméras portatives ou individuelles sont un élément supplémentaire, je dirais, pour renforcer l'autorité des policiers municipaux et pour évacuer, je dirais, toute tension qu'il pourrait y avoir en cas d'interpellation entre un citoyen et le policier municipal. (© *Europe 1*)

Activité 6, p.15 PISTE 14

– Des moutons, des moutons étaient en sûreté dans un parc. Des moutons, des moutons… Les plus anciens d'entre nous auront peut-être reconnu un extrait du film de Marcel Pagnol *Topaze* avec Fernandel dans le rôle du maître d'école. L'historien de l'éducation, Claude Lelièvre, n'hésite pas à parler de la dictée comme d'une passion française, évoque un souvenir historique à travers le cinéma.

– Jusqu'à une date assez récente lorsqu'on mettait en scène un enseignant du primaire, que faisait-il ? Presque tout le temps une dictée. Et je pense que la ministre sait bien tout cela, c'est-à-dire que la dictée chez nous est le signe d'une école solide qui se tient.

– Au fil du temps, la dictée assénée par le maître depuis l'estrade a laissé place à des exercices moins abêtissants. Dictée préparée. Autodictée. Dictée à trous ou encore dictée négociée. Michelle de Neubourg est enseignante en classe de CE2. Elle pense que la dictée ne doit pas être qu'un exercice d'évaluation. Il doit impliquer l'élève.

– Est-ce que la dictée va aider les enfants à améliorer leurs compétences en orthographe ? Il faut quand même que la dictée soit un exercice non pas seulement d'évaluation mais un exercice de réflexion sur la langue. Je pense aussi qu'il faut mettre souvent les enfants devant l'écrit ; c'est-à-dire qu'ils doivent s'essayer à l'écriture. Les enfants vont être acteurs dans l'écriture.

– Il se tient bien droit et écarquille ses grands yeux. Émilio a 8 ans, il donne un exemple.

– Il y a des mots à apprendre. Par exemple, il faut apprendre *lapin*, *manger*, *carotte*. Et puis après, la maîtresse, elle nous dit : « un jour, un lapin, mange une carotte. »

– C'est une voix familière des auditeurs de RFI, c'est le spécialiste de la langue française sur notre antenne. Alors que pense Ivan Amar du retour de la sacro-sainte dictée ?

– Franchement, la bonne vieille dictée, je n'y crois pas, non, non, non. Un des problèmes de la dictée aussi, c'est qu'on dit un texte. Les élèves sont censés l'écrire. Ils partent de vingt et on enlève des points à chaque fois qu'il y a une faute. Un quart de point. Un point. Deux points. Quatre points. C'est affreux. Il faut évidemment inventer des exercices où ce n'est pas des soustractions mais des additions qui permettent d'évaluer le progrès de l'élève. (© *RFI*)

Activité 7, p.15 PISTE 15

– Ils ont entre 22 et 25 ans et d'ici quelques jours, ils seront aux 4 coins du monde.

– Je pars en Colombie à Bogota.

– À Madagascar 6 mois.

– Sainte-Lucie.

– Je pars en Inde à New Delhi.

– Une douzaine de jeunes s'apprêtent à rejoindre des associations qui œuvrent dans l'aide au développement, l'alphabétisation, le microcrédit ou la protection de l'environnement. Pour tous, le service civique est une manière de faire ses preuves dans le monde professionnel. Stéphanie a 23 ans. Elle est fraîchement diplômée en biologie nutrition.

– J'ai choisi le service civique parce qu'après mes études, je cherchais du travail dans l'humanitaire, dans les ONG qui nous disent, finalement, oui, mais vous n'avez pas

d'expérience dans les pays en développement. Voilà et en fait le service civique, c'est un tremplin, je pense. C'est vraiment un tremplin pour les jeunes diplômés pour s'insérer dans la vie active.

– Qui dit service civique, dit aussi sens de l'engagement. Charlotte, 24 ans, tient à mettre ses compétences au service des plus démunis.

– L'intérêt du service civique, c'est vraiment de m'engager pour une cause, d'être utile parce que je me suis rendu compte que je suis dans un milieu lié à la communication, à la publicité ; un milieu très lucratif. Ce n'était pas le sens que je voulais donner à ma vie.

– Avant de partir en mission, la Guilde, une ONG de solidarité internationale, organise trois jours d'ateliers pour préparer ces jeunes à l'expatriation.

– Qui dit pays différents, dit aussi populations différentes. Est-ce que nos valeurs sont universelles ? Est-ce qu'elles sont partagées ?

– Des ateliers pour les faire réfléchir à comment mieux s'intégrer et les sensibiliser au choc culturel. L'animatrice Brenda Coran a longtemps travaillé à l'étranger dans l'humanitaire.

– On parle beaucoup d'engagement, déjà, qui est le pilier fondateur du service civique. L'engagement envers soi-même. L'engagement altruiste. L'engagement aussi interculturel parce que souvent quand l'aide au développement échoue, c'est par manque de dialogue, par le manque de compréhension.

– Le service civique reçoit 80 CV pour un poste à l'étranger et de plus en plus de candidats sont diplômés de formations spécialisées dans l'humanitaire. Alors, pour rester fidèle à l'esprit d'engagement du service civique qui veut que ses missions soient accessibles à tout jeune, quel que soit son niveau d'études, Nathalie Chaverot, chargée du recrutement pour La Guilde regarde avant tout la personnalité des candidats.

– Ne pas avoir un recrutement avec un CV, lettre de motivation ou sur le parcours ou l'école que le candidat a fait mais plus sur les motivations, sur sa capacité d'adaptation et sur sa facilité à se projeter dans la mission et à mettre la main à la pâte. (© *RFI*)

Activité 8, p.16 PISTE 16

Extrait 1

– Autour de cette table, trois invités. Nous parlons aujourd'hui du covoiturage qui est un mode de transport en pleine expansion. Alors, Pascal Dubois, selon vous, quel est l'impact du covoiturage sur l'environnement urbain ?

– Je dirais d'abord que le covoiturage n'a pas que des effets bénéfiques, car il est directement lié au développement des embouteillages sur les grands axes, ce qui crée davantage de pollution. C'est une chose…

– Alors là, je vous arrête tout suite. Je ne peux pas vous laisser dire ça. Tout au contraire, le covoiturage…

– J'ai le droit de penser ce que…

– Laissez-moi finir. Tout au contraire, le covoiturage améliore l'état de la circulation et réduit les émissions de CO_2. Vous savez parfaitement qu'en partageant un véhicule, on diminue le nombre de voitures sur les routes.

Extrait 2

En quoi consiste le covoiturage ? Il consiste à partager un véhicule entre, d'une part, un conducteur et, d'autre part, des passagers dans le but de faire un trajet commun. Savez-vous quels sont les avantages ? Il permet non seulement de réduire les frais de transport mais aussi d'améliorer la circulation routière et de limiter la pollution atmosphérique. Autrement dit, c'est un mode de transport économique et écologique. D'ailleurs, à la différence des autres moyens de transport, le covoiturage crée une atmosphère favorable à la communication entre les usagers. À quel moment le covoiturage s'est-il développé en Europe ? Principalement dans les années 1990. Au Pays-Bas, par exemple, le gouvernement a mis en place à cette époque des campagnes nationales d'informations pour sensibiliser les Hollandais à ce nouveau mode de transport.

Extrait 3

Ce que j'aime avant tout dans le covoiturage, c'est qu'il y a toujours un peu de suspense avant le départ ! Combien de temps va-t-on attendre les passagers en retard ? Le conducteur va-t-il annuler ou reporter le trajet ? À quelle heure va-t-on arriver ? Si bien entendu on réussit à arriver à destination ! Ah, que j'apprécie de me retrouver dans ce genre de situation quand j'ai un rendez-vous important ou un avion à prendre ! Il y a aussi tout autre chose qui fait le charme du covoiturage, c'est la convivialité ! Quelle ambiance quand vous êtes 4 à l'arrière de la voiture et qu'il n'y a que 3 places assises ! Rien de tel pour rapprocher les gens et créer une atmosphère chaleureuse.

Activité 9, p.16 PISTE 17

– À l'heure actuelle, les grandes surfaces ont déjà des conventions avec des associations. D'ailleurs…
– Non, non. C'est faux Madame. C'est faux Madame. C'est faux ce que vous dites. C'est complètement faux.
– Guillaume Bapst…
– Ça fait des années… attendez… attendez… attendez… Il ne faut pas dire des choses fausses. Je vous demande la vérité Monsieur. Il ne faut pas dire…
– Monsieur Bapst… Monsieur Bapst… S'il vous plaît… Je vais répondre…
– Oui, peut-être, laissez s'exprimer Guillaume Bapst juste quelques secondes.
– Non mais c'est important. Non, mais je vais peut-être répondre… Non mais je vais quand même répondre… Je suis en… de terrain. C'est quelque chose que je connais par cœur quand même. C'est du vécu. Donc monsieur Bapst est gentil. On parle de choses que moi je connais. *(© RFI)*

Activité 10, p.17 PISTE 18

Extrait 1

Bien que le livre numérique permette aux lecteurs d'avoir à disposition de nombreuses œuvres littéraires sur une tablette, il ne pourra jamais remplacer le livre papier auquel nous sommes beaucoup attachés et qui offre un meilleur confort de lecture.

Extrait 2

Le livre numérique est une invention géniale. Grâce à elle, vous pouvez télécharger et stocker des centaines de livres sur une tablette tactile et par conséquent, vous libérez un espace précieux dans votre appartement.

Extrait 3

Non seulement les livres numériques sont mauvais pour les yeux mais aussi ils sont dépendants d'une batterie qui s'épuise très vite. Sans parler de tous les problèmes informatiques courants qui vous empêchent de lire tranquillement.

Activité 11, p.17 PISTE 19

– Première question pour vous, Hugues Lenoir. Ce baccalauréat qui n'est pas si difficile à décrocher quand on est au lycée, quand on va jusqu'à la terminale, paraît être aujourd'hui un diplôme incontournable. On ne peut plus s'en passer. Si on ne l'a pas et si on veut avancer, il faut retourner au lycée et essayer de le décrocher par correspondance ?
– Avant d'y retourner, il faut y avoir été accepté et avoir poursuivi son cursus jusqu'au bout. Et c'est vrai qu'aujourd'hui, on est un peu dans la logique, passe ton bac et tais-toi, on verra après. Je pense que le baccalauréat a pris dans les vingt dernières années une place tout à fait essentielle qu'il n'avait pas forcément tout à fait antérieurement. Ce qu'on peut remarquer et qui est peut-être un petit peu lié à l'échec de certains, c'est que le baccalauréat conditionne l'ensemble du système de l'enseignement. Dès la sixième, on prépare les enfants à passer le bac, c'est-à-dire qu'il y a une espèce de sur-détermination des élèves face à cette épreuve, qui retire de mon point de vue de la liberté aux enseignants, qui conditionne les programmes et qui ne facilite pas les apprentissages à certains jeunes élèves. *(© France Culture)*

Activité 12, p.18 PISTE 20

– Bonjour Dorothée.
– Oui bonjour, bonjour tout le monde.
– Vous êtes à la Garenne-Colombes.
– Oui. Exactement.
– Et alors j'ai lu sur la fiche que l'on m'a transmise. Manger bio, c'est plus sain.
– Excusez-moi, je n'ai pas entendu. Manger bio, c'est plus…
– Manger bio, c'est plus sain. Vous le pensez ?
– Alors oui. Pas totalement. En grande partie, mais pas totalement.
– Allez-y.
– Moi, j'essaie de consommer et d'acheter bio le plus possible.
– D'accord.
– Notamment dans l'alimentation. Après, bon, je fais des petites dérives dans les produits ménagers et dans les cosmétiques mais mon budget principal, c'est quand même la nourriture. Et c'est quand même… Moi ce que je voulais dire aussi, c'est quand même un privilège de manger bio. Ça reste très coûteux. Et ça serait bien que les prix soient abordables et beaucoup plus accessibles à tous. Mais après, la notion de bio, pour moi, elle est quand même utopique parce qu'on ne peut pas supprimer 100 % des résidus chimiques et les produits qu'on importe d'autres pays n'ont pas la même réglementation qu'en France pour avoir le label bio forcément. Donc, du coup, c'est quand même malgré tout limité. Donc, il faut quand même faire attention à la provenance des produits bio qu'on achète. *(© Europe 1)*

Activité 13, p.19 PISTE 21

– Selon vous, vaut-il mieux prendre des notes à la main avec un stylo et une feuille de papier ou bien taper ses notes directement sur l'ordinateur ? Est-ce qu'on peut savoir quelle est la meilleure méthode de prise de notes ?
– Oui, on le sait, parce que des chercheurs ont fait une étude et ils ont constaté que le traitement cognitif

de l'information n'était pas le même dans les deux méthodes. Je vous donne quelques explications. L'étude a montré que les étudiants qui tapent leurs notes sur le clavier de l'ordinateur écrivent mot à mot ce qui est dit sans doute parce qu'ils ont l'habitude de taper très vite. Au final, ils ont une très grande quantité de notes. En revanche, les étudiants qui prennent des notes à la main, écrivent moins vite parce que la prise de notes manuelle demande plus de temps. Alors, ils vont être plus sélectifs. À la différence de ceux qui tapent leurs notes sur l'ordinateur, les étudiants qui prennent des notes à la main, font plus d'efforts pour comprendre. Ils vont synthétiser l'information. Et finalement, ils vont noter l'essentiel du cours. Et ça, ça va leur faire gagner un temps précieux au moment des révisions avant les examens. Donc, la conclusion de l'étude des chercheurs, c'est que l'excès de notes, c'est-à-dire le fait d'écrire mot à mot ce que dit le professeur sans faire attention au sens et sans chercher à synthétiser l'information, c'est pas du tout efficace et ça ne permet pas de mémoriser le contenu du cours.

Activité 14, p.19 PISTE 22

Oui, il y a un paradoxe dans le fait d'énormément se préparer pour être efficace sur une scène. Ce qui est le plus efficace, c'est quand même l'authenticité. Autrement dit, sentir qu'en face de soi, on a quelqu'un qui parle vrai, qui parle tel qu'il est. Or quand on se prépare beaucoup, quand on répète beaucoup, on a tendance à avoir des automatismes. Ces automatismes qu'on acquiert en répétant nous permettent d'éliminer le stress. Pour autant, et moi quand je prépare par exemple des intervenants à la prise de parole en public, je leur dis : n'apprenez pas par cœur. Ce n'est pas bon ; ça se sent. Vous êtes dans une approche qui ressemble assez à une répétition ou bien même à la récitation d'un poème, vous voyez, ou d'un texte. On ne fait pas du théâtre. On fait véritablement de la prise de parole, autrement dit, on crée les conditions d'une conversation. Donc laissez la place parfois à l'imprévu. Laissez la place aussi à l'authenticité. Parfois même à l'erreur. L'erreur est très bien perçue par le public. C'est un gage d'authenticité et de vérité. Il faut se préparer. Il faut connaître son fond. Il faut être en capacité à connaître sa première phrase par exemple de prise de parole, sa dernière phrase, sa chute. C'est très important. Mais laissez aussi parfois faire les choses et faire en sorte que le public sente que vous êtes là et que vous êtes vrai quand vous lui parlez. (© RFI)

Activité 15, p.21 PISTE 23

– Une enquête de l'observatoire des familles montre que l'orientation génère des inquiétudes pour 90 % des parents et j'ai même lu que dans un tiers des cas c'est même source de conflits entre parents et enfants. Donc on touche vraiment un sujet sensible, Amadou Boye.
– Très clairement. Ce que vous évoquez, c'est vraiment notre quotidien au CIDJ. Quand on sait que la plupart des jeunes quand ils viennent nous voir viennent avec leurs parents pour ne pas dire que c'est les parents qui les traînent pour venir s'orienter. Ce qui montre à quel point, effectivement, les parents s'impliquent dans l'orientation de leurs enfants. Mais là, la question que vous posez ? Quel rôle ont-ils ? Prennent-ils trop de

place ? Alors moi, j'ai juste envie de vous dire une chose, c'est que les parents sont aussi orientateurs au même titre que les conseillers d'orientation, au même titre que les professeurs principaux et toute la communauté éducative ; juste qu'il faut qu'ils sachent prendre leur juste place dans cette démarche qui est complexe. C'est quand même les parents qui connaissent les jeunes parce qu'ils les ont vus grandir. C'est leurs enfants et ils connaissent certaines de leurs aptitudes, certaines de leurs qualités qui sont quand même des éléments essentiels pour les stratégies qu'on est amené à leur proposer dans le cadre de l'entretien individualisé qu'on propose au CIDJ. (© RFI)

Activité 16, p.21 PISTE 24

– Quel regard portez-vous sur ce phénomène de l'auto-édition ? Est-ce qu'on est dans un phénomène qualitatif ?
– Ah non, pas du tout. On est dans un phénomène purement démocratique, c'est-à-dire que les outils permettent à chacun aujourd'hui de mettre à la disposition de tous sur des plateformes ses écrits, quels qu'ils soient. Et donc ces auteurs sont tout à fait libres d'en user et ils ne s'en privent pas. Donc évidemment ce système est tout à fait parallèle et en quelque sorte opposé à celui de l'édition, voire de la grande édition puisque, vous le disiez, l'édition, ce qui la caractérise, c'est qu'elle fait des choix et qu'elle risque son capital pour défendre, porter, faire connaître ce texte, texte qui a d'ailleurs, enfin texte ou avec des images aussi, enfin ensemble en tout cas, qui ont été travaillés, disons, dans un souci d'optimisation avec l'auteur, par les bons soins de l'éditeur, si vous voulez. Donc on est à l'opposé du système de l'autoédition où là l'auteur est seul et il met en ligne ou même il peut faire réaliser sous la forme papier, comme le disait Jean-Marc à l'instant, un texte donc qui a priori n'a pas été revu, validé, ni sélectionné par qui que ce soit. (© RFI)

Activité 17, p.22 PISTE 25

La formation des enseignants remonte au milieu du XIXᵉ. Vous le savez, c'est Napoléon Bonaparte qui a créé le lycée et le recrutement se fait alors par le concours de l'agrégation. C'est en 1839 que sont créées les conférences de préparation à ces concours qui sont un peu l'embryon de la formation initiale. Le CAPES est créé beaucoup plus tard en 1950 pour répondre à la massification du secondaire. Et c'est aussi dans les années 50 que sont créés les IPES, Instituts de Préparation à l'Enseignement Secondaire au sein des universités. Je vous préviens, il y a beaucoup de sigles. Le recrutement se fait alors une année après le bac. Et puis en 78, ces instituts sont fermés et jusqu'en 91, ce sont les Centres Pédagogiques Régionaux, les CPR, qui sont chargés de former les profs du secondaire. Et il y a un système tout à fait différent, vous l'avez rappelé tout à l'heure, pour le premier degré avec les écoles normales qui sont créées en 1833, qui sont chargées de former les instituteurs, puis les institutrices en 1883. Ils sont alors recrutés ces instituteurs avec le brevet élémentaire et petit à petit au cours du XXᵉ siècle, ce niveau de recrutement est élevé. Ce n'est qu'en 91 sous le gouvernement de Michel Rocard que leur recrutement et leur formation est harmonisé avec le secondaire avec la création des fameux IUFM, Instituts Universitaires de Formation des Maîtres. Vous connaissez la suite. En 2010, Xavier Darcos enterre les IUFM, élève le niveau de recrutement au niveau master et supprime 18 000 postes de stagiaires en supprimant la seconde année de formation. En 2013, la gauche revient au pouvoir. Vincent Peillon crée alors les ESPE et rétablit l'année de stage et les postes de stagiaires. *(© France Culture)*

Activité 18, p.23 `PISTE 26`

– L'actualité en France, Annette Ardisson. Vous avez choisi de nous parler non pas du remaniement ministériel ou de la réforme de la constitution mais de la réforme de l'orthographe.

– Oui, réforme, c'est beaucoup dire parce que seulement 2 400 mots sont concernés. Moins de 4 % du lexique français. Il s'agit en fait de tolérances décidées en 1990 et qui entrent à partir de la rentrée prochaine dans les manuels scolaires. Parmi les principaux points, la suppression du trait d'union des noms composés de *contre*, *entre* ou *extra* comme « extraterrestre » et celle de l'accent circonflexe quand il est inutile comme dans « paraitre » mais il est conservé quand il change le sens du mot comme « un fruit mûr » ou « dû », le participe passé de devoir. *(© France Inter)*

Activité 19, p.23 `PISTE 27`

– Bonjour.

– Philosophe, vous avez publié en 2013 aux éditions de la découverte *La tyrannie de l'évaluation*. Vous, le point de départ de votre réflexion, c'est l'école.

– Oui.

– Et au fond aujourd'hui, on en arrive à un paradoxe, c'est-à-dire qu'à l'école, on réfléchit à quasiment supprimer les notes et ces notes, elles sont présentes absolument partout par ailleurs.

– Oui, en fait, ce n'est pas exactement comme ça que ça se passe. On ne réfléchit pas à supprimer les notes. On réfléchit à remplacer une logique d'évaluation par une autre.

– Oui.

– C'est-à-dire la logique des notes, c'est la logique d'évaluation qui commence avec la Révolution française, la naissance des systèmes éducatifs, mais depuis les années 80 justement, c'est-à-dire à la montée de cette évaluation managériale dont vous parliez, à l'école, on a commencé à changer de logique et en fait maintenant on évalue des compétences. Alors, on ne note pas mais en fait quelque part ça revient même pas au même, c'est presque pire, c'est-à-dire qu'aujourd'hui on va noter un élève pour des compétences, des savoir-être, par exemple comme dans l'entreprise. On va le noter… enfin, on va l'évaluer pour toute une centaine… 150 items. Par exemple, en maternelle 150 items relevant de ces savoirs, savoir-faire, savoir-être donc qui sont dans l'entreprise évalués aujourd'hui et ça donne en fait quelque part un utilitarisme… vraiment. Ça imprègne l'école d'utilitarisme parce qu'il faut que ça serve. *(© France Inter)*

S'ENTRAÎNER

Exercice 1, p.24 `PISTE 28`

– Ils ont entre 22 et 25 ans et d'ici quelques jours, ils seront aux 4 coins du monde.

– Je pars en Colombie à Bogota.

– À Madagascar 6 mois.

– Sainte-Lucie.

– Je pars en Inde à New Delhi.

– Une douzaine de jeunes s'apprêtent à rejoindre des associations qui œuvrent dans l'aide au développement, l'alphabétisation, le microcrédit ou la protection de l'environnement. Pour tous, le service civique est une manière de faire ses preuves dans le monde professionnel. Stéphanie a 23 ans. Elle est fraîchement diplômée en biologie nutrition.

– J'ai choisi le service civique parce qu'après mes études je cherchais du travail dans l'humanitaire, dans les ONG qui nous disent, finalement, oui, mais vous n'avez pas d'expérience dans les pays en développement. Voilà et en fait le service civique, c'est un tremplin je pense. C'est vraiment un tremplin pour les jeunes diplômés pour s'insérer dans la vie active.

– Qui dit service civique, dit aussi sens de l'engagement. Charlotte, 24 ans, tient à mettre ses compétences au service des plus démunis.

– L'intérêt du service civique, c'est vraiment de m'engager pour une cause, d'être utile parce que je me suis rendu compte que je suis dans un milieu lié à la communication, à la publicité, un milieu très lucratif. Ce n'était pas le sens que je voulais donner à ma vie.

– Avant de partir en mission, la Guilde, une ONG de solidarité internationale, organise 3 jours d'ateliers pour préparer ces jeunes à l'expatriation.

– Qui dit pays différents, dit aussi populations différentes. Est-ce que nos valeurs sont universelles ? Est-ce qu'elles sont partagées ?

– Des ateliers pour les faire réfléchir à comment mieux s'intégrer et les sensibiliser au choc culturel. L'animatrice Brenda Coran a longtemps travaillé à l'étranger dans l'humanitaire.

– On parle beaucoup d'engagement, déjà, qui est le pilier fondateur du service civique. L'engagement envers soi-même. L'engagement altruiste. L'engagement aussi interculturel parce que souvent quand l'aide au développement échoue, c'est par manque de dialogue, par manque de compréhension.

– Le service civique reçoit 80 CV pour un poste à l'étranger et de plus en plus de candidats sont diplômés de formations spécialisées dans l'humanitaire. Alors, pour rester fidèle à l'esprit d'engagement du service civique qui veut que ses missions soient accessibles à tout jeune, quel que soit son niveau d'études, Nathalie Chaverot, chargée du recrutement pour la Guilde regarde avant tout la personnalité des candidats.

– Ne pas avoir un recrutement avec un CV, lettre de motivation ou sur le parcours ou sur l'école que le candidat a fait mais plus sur les motivations, sur sa capacité d'adaptation et sur sa facilité à se projeter dans la mission et à mettre la main à la pâte. *(© RFI)*

Exercice 2, p.26 `PISTE 29`

– Bonsoir Pierre Haski.

– Bonsoir.

– Alors, est-ce qu'aujourd'hui un journal papier, une radio peuvent vivre sans disposer d'un espace internet qui relaie son activité et ses contenus. Je commence par vous, Valérie Jeanne-Perrier.

– Ça semble maintenant difficile. On sent vraiment que là on est à un moment de croisement. Tous les médias maintenant disposent d'un lieu où ils peuvent exposer leurs contenus, leurs marques, leurs articles qui soient sur le numérique et sur un site internet. Donc maintenant, ça fait partie intégrante de l'ADN des médias que d'être sur plusieurs supports.

– Est-ce qu'il existe des journaux sans site néanmoins ? Vous avez connaissance d'au moins un ?

– Je crois oui qu'il en existe un dans le Centre France, ceux qui fonctionnent encore à l'ancienne avec impression au plomb, tirage presque à l'imprimerie traditionnelle mais c'est une rareté maintenant et c'est plus un exercice de pure forme que de faire un média uniquement à l'ancienne mais maintenant vraiment l'Internet en tant que moyen de diversification de la diffusion de l'information est vraiment incontournable.

– Pierre Haski, sans relai internet, pas de salut pour les médias traditionnels ?

– Alors, il y a quand même, il ne faut pas oublier le *Canard enchaîné* qui reste... qui continue à faire son petit chemin même s'il a enregistré une première baisse l'année dernière de son chiffre d'affaires et de ses ventes. Mais, le *Canard enchaîné* est une exception universelle parce qu'il n'a ni publicité, ni site internet. Donc, c'est le contre-exemple qu'il ne faut pas oublier quand même parce qu'il existe. À part ça, je pense que ça serait une hérésie absolue de refuser d'aller sur Internet pour un média existant, je ne parle pas pour les médias qui se créeraient aujourd'hui. Et on a quelques exemples au cours des dernières années en France de médias qui se sont créés sur le papier sur un mode différent et qui, eux, ont choisi d'aller à contre-courant justement et de chercher des niches parce que c'est de cela qu'il s'agit en allant à contre-courant... Mais pour un média existant, quelle que soit sa périodicité, quel que soit son mode de diffusion, c'est-à-dire impression, radio, télé, etc., ne pas aller là où sont ses lecteurs parce que c'est de ça qu'il s'agit ici, ce n'est pas d'épouser une mode, là où sont les usages et les lecteurs, ça serait totalement aberrant avec en plus une chose, c'est qu'on a constaté, on apprend en avançant vous savez dans cet univers, on expérimente, on avance et on découvre des choses, mais on a constaté qu'une partie aujourd'hui importante du lectorat n'est plus fidèle, c'est-à-dire qu'autrefois quand je dis autrefois, c'est avant Internet donc disons dans les années 80, vous aviez une loyauté absolue vis-à-vis d'un titre. Moi, j'ai travaillé longtemps à *Libération*. Quand deux lecteurs de *Libération* se croisaient dans le métro, ils se souriaient. *(© RFI)*

Exercice 3, p.27 PISTE 30

– Olivier Gérard et Sabine Duflo. Alors quelle est la place des écrans dans les foyers en France aujourd'hui ? Est-ce que même on peut quantifier ?

– Alors on sait, on a des études qui parlent de 9 à 10 écrans en moyenne par famille. Derrière cette moyenne, il y a beaucoup de réalités différentes. On sait également que la présence d'enfants augmente mécaniquement le nombre d'écrans.

– Oui, parce que là on compte les écrans des téléphones portables, pas seulement les smartphones et y compris un téléphone banal.

– Téléphone, smartphone, écran d'ordinateur, télévision, tablette tactile. Tous ces écrans-là. Le fait d'avoir des enfants augmente mécaniquement. Après, au-delà de l'écran, c'est aussi le fait que les écrans sont très souvent allumés, allumés en permanence et tous les écrans en même temps. C'est non seulement la présence d'écrans mais c'est le fait qu'ils fonctionnent. C'est pas uniquement... comme on a pu connaître par le passé des écrans qui étaient dans une pièce mais qui n'étaient pas forcément utilisés, utilisés à des moments. Là, vous avez des écrans qui sont allumés en permanence. C'est... il y a une explosion assez forte et on n'a pas eu de substitution. On a pensé à un moment que par exemple la tablette allait rapidement remplacer tous les écrans.

– En fait, ça s'accumule.

– En fait on s'aperçoit que ça s'accumule et que ça s'ajoute. Ça se complète et ça devient pour les familles évidemment très compliqué à gérer.

– Sabine Duflo, vous diriez que ce phénomène-là est aujourd'hui dans un pays comme la France absolument tout milieu.

– Oui, oui, complètement.

– Et que du coup la question du parasitage des écrans dans la vie familiale se pose pour tout le monde ?

– Tout à fait. Mon point de vue, c'est que cette gestion des écrans, c'est une question de santé publique. Ce n'est pas une question sociale. C'est une question de santé publique. Il faut réfléchir aux effets, aux méfaits et proposer... faire de la prévention de manière très claire.

– Alors, avant d'en arriver à des situations addictives graves, il y a tout simplement un problème quotidien qui n'est pas traité médicalement. C'est effectivement le parasitage dans la vie familiale. Que se passe–t-il ? Qu'est-ce que vous observez, vous ?

– J'observe que c'est le motif numéro un de conflits dans les familles, ces écrans, tout simplement. C'est-à-dire que les parents viennent me voir pas pour des questions d'écran. Ils viennent me voir parce que leur enfant n'écoute pas. Il ne veut pas faire les actions du quotidien, se doucher, etc., faire ses devoirs ; bon, ok, donc ils ont du mal à instaurer leur autorité de parent. Donc, je leur dis, décrivez-moi comment ça se passe une journée, à quel moment s'est passée la petite dispute et qu'est-ce que l'enfant était en train de faire au moment où vous lui avez dit : « là maintenant ça suffit. Va prendre ta douche ». Et, à chaque fois, mais je veux dire 9 fois sur 10 ou 9 fois et demie sur dix, je vais trouver l'écran. Il était en train de jouer à un jeu vidéo, c'est-à-dire qu'au fond ce n'est pas un problème d'autorité des parents qui ne sauraient plus poser leur autorité, qui ne sauraient plus être parents. C'est cet objet-là qui est éminemment addictif qui fait qu'ils ont du mal à poser leur autorité de parent lorsque cet objet envahit la famille. *(© RFI)*

Exercice 4, p.28 PISTE 31

– Premier invité d'*Un Jour en France*, Georges Buisson, bonjour Monsieur.

– Oui, bonjour.

– Vous êtes l'un des pionniers du théâtre à domicile. Vous avez dirigé la coupole de Sénart en banlieue parisienne. Vous avez organisé le premier festival mondial de théâtre à domicile. Alors, un soupçon d'histoire avec vous. C'est dans les années 70 que vous avez relancé, disons, cette forme de théâtre. Quel était l'objectif à l'époque ? C'était quoi ? Aller à la rencontre de gens qui n'allaient pas au théâtre ?

– Absolument, c'est-à-dire qu'on se rendait compte qu'un certain nombre de gens nombreux venaient dans les théâtres, mais qu'ils étaient encore plus

nombreux ceux qui n'y venaient pas. Et donc c'était cette envie de rencontrer les gens qu'on ne rencontrerait pas habituellement dans une salle de théâtre.
– Ça se passait dans des villes de banlieue, les villes nouvelles de banlieue parisienne.
– On a d'abord commencé à Bobigny avec Pierre et Ariane Ascaride, avec Alain Grasset et ensuite effectivement on a développé ça très très fortement dans une ville nouvelle pas très loin de Paris qui était la ville nouvelle de Sénart où là, il s'agissait effectivement de rencontrer ces gens dans une ville où il n'y avait pas de centralité, où les gens habitaient des zones pavillonnaires et avaient beaucoup misé dans leur maison. Donc la maison, on savait que pour eux c'était très important. Donc l'idée, c'était à partir d'une famille ou d'une personne de réunir le réseau de communication naturel que ces gens avaient. C'est-à-dire que c'était de manière souterraine. On ne mettait pas des affiches en disant tel jour à telle heure dans tel appartement il y aura un spectacle. Ce n'était pas du tout ça. C'était la famille qui nous accueillait, qui devenait complice de l'organisation de cette soirée. C'est elle qui s'occupait du public, qui l'organisait. On savait qu'autour de chaque famille, il y avait entre 15 et 25, 30 personnes entre les amis, les relations de travail et les voisins. Pour les voisins, c'était une occasion de les inviter chez soi. Et donc c'est ce public-là, qui le temps d'une soirée, recevait des comédiens, un spectacle et bien évidemment que ces gens-là la plupart du temps c'était pour nombre d'entre eux la première fois qu'ils étaient confrontés au théâtre, et puis pour les comédiens c'était une autre façon de faire vivre le théâtre et d'organiser la rencontre parce qu'il y a le temps du spectacle et puis il y avait la deuxième mi-temps, la mi-temps conviviale où chacun était venu avec une tarte, une terrine et il y avait un partage formidable. *(© France Inter)*

Exercice 5, p.30 PISTE 32

– Bonjour Claude Halmos.
– Bonjour Céline.
– Nos auditeurs ont peut-être un enfant en train de découvrir le monde du travail. C'est la semaine des stages pour les élèves de troisième. On en a accueilli plusieurs d'ailleurs à France Info. Est-ce que ces stages sont utiles aux adolescents, Claude ?
– Alors, leur utilité varie en fonction de la personnalité des élèves et de l'accueil qui leur est fait sur les lieux de stage mais aussi de la façon dont ces stages leur sont présentés par les collèges d'où ils viennent et ils peuvent les vivre, soit comme une obligation un peu anecdotique et qui n'a pas grand sens, soit comme une véritable première étape sur le chemin qui doit les mener à la vie sociale et au monde du travail. Autrement dit, ces stages ne peuvent avoir une valeur pour les adolescents que s'ils en ont une pour leurs parents et pour leurs enseignants, parce qu'un adolescent ne peut pas soutenir un projet seul. Il a besoin que les adultes l'aident à le soutenir.
– Alors quels peuvent être pour les adolescents les bénéfices de ces stages ?
– Ils peuvent être très importants. D'abord le stage, c'est le moment où un élève ne se ressent plus comme un membre d'un groupe, élève de telle classe, de tel collège mais comme une personne à part entière qui a une identité propre et qui va devoir se débrouiller seul dans un monde qui représente pour lui la vie adulte. Donc, c'est

une forme de promotion et elle peut d'ailleurs de ce fait être angoissante, et puis le stage va lui faire découvrir la réalité du travail et un monde, le monde du travail, dont il avait jusque-là une représentation imaginaire fondée sur l'image qu'en donne la société notamment par le biais des médias et sur ce que ses parents lui en avaient dit, mais surtout sur ce qu'il avait senti que ses parents, quoi qu'ils puissent lui raconter par ailleurs, éprouvaient vraiment dans leur travail et ça, c'est d'autant plus important que beaucoup d'adultes aujourd'hui souffrent dans leur travail et que leurs enfants qui le ressentent finissent par redouter par avance le monde du travail. *(© France Info)*

Exercice 6, p.31 PISTE 33

– Bonsoir.
– Bonsoir.
– Vous êtes chercheur en sociologie politique et vous travaillez actuellement à une thèse sur le vote blanc et le vote nul. Alors Jérémie Moualek, est-ce que vous pouvez nous expliquer quelle est votre position sur le vote obligatoire ? Vous, vous êtes plutôt contre.
– Ah, je suis totalement contre même. À mon sens, mettre en débat la question du vote obligatoire pose un problème puisque c'est finalement mal poser la question. On pose la question pourquoi les citoyens ne vont pas voter, au lieu de se poser la question pourquoi iraient-ils voter. Et en se posant cette question-là de cette manière, ça évite de rejeter les responsabilités sur les seuls électeurs et… comme si d'ailleurs les citoyens étaient devenus un matin passifs ou naturellement désintéressés, incompétents, mais justement à jeter les responsabilités sur les pratiques du pouvoir politique, les gouvernants et notamment le fait qu'ils subissent une crise d'efficacité, etc. Mais je pense qu'on va en venir avec Monsieur de Rugy qui vient de rentrer. Et on va pouvoir aller au concret.
– Alors, justement bonsoir François de Rugy. Merci donc d'être venu. Je rappelle que vous êtes député et président du nouveau parti écologiste et que vous êtes favorable à l'instauration du vote obligatoire. Je reviens vers vous dans un instant. Je voudrais juste revenir avec vous Jérémie Moualek sur…, vous nous disiez, vous êtes contre par principe mais est-ce que quand même une vertu du vote obligatoire ce serait pas une manière de responsabiliser un certain type d'abstentionnistes ?
– Alors ça, ce sont les vertus supposées, les vertus de ceux qui en font la promotion, c'est-à-dire qui font le pari que le vote obligatoire aurait un effet de sociabilisation politique, d'acculturation civique ou d'accoutumance au vote sauf que, même si je pense qu'on n'en parlera plus en détails après, les expériences étrangères nous montrent finalement que le vote obligatoire n'est efficace que par son caractère punitif, que par les sanctions et la nature des sanctions qui sont mises en place. *(© RFI)*

Production orale

SE PRÉPARER

Activité 11, p.115 PISTE 34

– Aujourd'hui, en France, on vit plus vieux qu'il y a 50 ans et les seniors sont en meilleure santé. Cependant, les Français ne semblent pas accepter de vieillir.

C'est ce que nous explique l'auteur de l'article « Plutôt mourir que vieillir » publié dans le magazine *Tendances* du 14 mai 2016. Malgré une qualité de vie qui augmente, les plus de 50 ans vivent mal l'approche de la retraite. Quel sentiment éprouvent les seniors face au temps qui passe ? Quels préjugés perdurent au sujet des capacités physiques et intellectuelles des seniors ?

Activité 12, p.116 `PISTE 35`

Introduction 1 :

L'article à partir duquel j'ai préparé mon exposé s'intitule « Producteurs et supermarchés : la guerre est déclarée ». Le problème soulevé dans cet article est celui de la relation de dépendance qu'exercent les producteurs de fruits légumes envers les grandes enseignes. Dans un premier temps, je dresserai un état des lieux de la situation. Dans une deuxième partie, je présenterai quelques solutions pour résoudre le problème afin de répondre à la question : comment construire une relation plus juste entre les géants de la grande distribution et les petits producteurs ?

Introduction 2 :

J'aborderai dans cet exposé la question des bienfaits du sport sur les performances intellectuelles. C'est le sujet traité dans l'article intitulé « Le sport dope le cerveau », publié dans le magazine *Santé*. En quoi le sport permet-il d'être plus efficace au travail ? Quels sont, d'après de récentes recherches scientifiques, les effets de la pratique sportive sur l'activité du cerveau ?

Introduction 3 :

D'après M. Michel Dufeu, auteur de l'article intitulé « Tous accros aux micros », publié dans le journal *Le Monde*, la plupart des 15-40 ans entretiennent une relation addictive avec les ordinateurs. Cela a parfois des conséquences sur leur vie personnelle, beaucoup d'entre eux sacrifiant leur vie de famille au profit des jeux sur ordinateur ou de la navigation sur Internet. Dans une première partie, j'aborderai la question de la dépendance aux ordinateurs. J'analyserai ensuite l'effet des nouvelles technologies sur les modes de vie actuels. Quels sont les bénéfices et les risques de l'utilisation quotidienne de l'ordinateur ?

Activité 15, p.118 `PISTE 36`

POUR OU CONTRE ?

a. Les pistes cyclables dans les grandes villes sont selon moi indispensables. Elles contribuent à diminuer les embouteillages et incitent les usagers à utiliser un moyen de transport non polluant.

b. Comment a-t-on pu en arriver là ? En un an, 13 millions de contraventions envoyées à des conducteurs n'ayant pas respecté les limitations de vitesse. C'est une aberration ! Les radars ne permettent pas de diminuer le nombre de morts sur les routes. Ils ne font que mettre en difficulté des conducteurs en les touchant au portefeuille. À mon avis, d'autres solutions doivent être trouvées.

c. Je trouve inadmissible de donner la possibilité à des mineurs de fumer au sein de leur établissement scolaire. Créer des espaces fumeurs dans les lycées revient pour moi à faire la promotion de la cigarette auprès des jeunes.

d. Je suis convaincue que la présence d'un policier dans tous les collèges et lycées permettrait de diminuer considérablement le nombre d'actes de violence au sein des établissements scolaires.

e. Il ne fait pas de doute que la diminution du temps de présence des enfants à l'école a de lourdes conséquences sur la réussite scolaire. Je suis certain que la semaine de 4 jours ne fait que renforcer les écarts entre les bons élèves (qui réussiront de toute façon) et les moins bons élèves (qui ont besoin du contact avec leur enseignant).

Activité 16, p.119 `PISTES 37 à 41`

AVANTAGES ET INCONVÉNIENTS

`PISTE 37` **a.** La télévision permet de se tenir informé de l'actualité, de se divertir et d'apprendre (grâce notamment aux reportages). Et tout ça gratuitement, ou presque. Elle contribue cependant à faire diminuer l'intérêt des jeunes pour la lecture, ceux-ci passant plus de temps devant l'écran de télévision qu'un livre à la main.

`PISTE 38` **b.** Les réseaux sociaux mettent en relation les individus, c'est indéniable. Ils permettent, selon les cas, de conserver une amitié, de trouver un travail ou bien encore de rencontrer l'âme sœur. En ce sens, ils favorisent la création de liens. Ceci étant, il faut reconnaître que les réseaux sociaux véhiculent également une illusion : celle qui consiste à penser que les gens sont ainsi plus proches. Au contraire, le contact virtuel remplace souvent le contact humain.

`PISTE 39` **c.** Les agences de voyage permettent aux personnes qui n'ont pas l'habitude de voyager d'être orientées, conseillées, guidées dans leur choix de destination, leurs réservations de vols et d'hôtels. Mais de toute évidence, elles sont aussi un piège car elles facturent au prix fort des services que les clients peuvent trouver deux ou trois fois moins cher sur Internet. Par ailleurs, les agences proposent souvent des hébergements dans leurs hôtels partenaires, qui ne sont pas nécessairement les meilleurs ou les mieux situés. Enfin, certaines agences, sous prétexte de conseiller des voyageurs inexpérimentés, vendent des services dont le client n'a pas nécessairement besoin (comme les services de guide par exemple).

`PISTE 40` **d.** Vivre en ville présente de nombreux avantages. L'accès à la culture y est plus aisé, grâce par exemple aux musées, aux spectacles ou bien encore aux bibliothèques, plus nombreux qu'à la campagne. Par ailleurs, tout est à proximité : les magasins, les médecins, les services publics, comme la Poste par exemple. Ainsi, la voiture n'est pas indispensable. En revanche, il faut reconnaître que la vie y est plus stressante et plus coûteuse. Je pense par exemple aux loyers, qui sont parfois deux fois plus élevés en ville qu'en dehors.

`PISTE 41` **e.** Les supermarchés permettent de faire toutes ses courses (alimentaires voire si besoin vestimentaires) à un seul et même endroit, ce qui est pratique, à une époque où le temps nous est toujours compté. Toutefois, il est vrai que le supermarché n'est pas aussi convivial que le marché. Ce dernier est autant un lieu d'échanges qu'un lieu où l'on achète. Il y a un côté aseptisé, peu chaleureux dans la grande distribution.

Activité 18, p.120 `PISTE 42`

En conclusion, nous pouvons dire que les rythmes scolaires mériteraient d'être repensés. La réussite des enfants ne dépend pas seulement du temps qu'ils passent dans la salle de classe. La comparaison des systèmes scolaires européens le prouve. Un équilibre entre activités scolaires et activités sportives et culturelles doit être trouvé. On peut cependant s'interroger sur la volonté des Français de remettre en question leur vision du système.

Activité 21, p.123 PISTE 43

– Vous avez dit dans votre exposé que selon vous, Internet isole. Ne pensez-vous pas au contraire que la Toile est un monde à elle seule, un réseau mettant en relation un nombre infini de personnes et d'idées ?

– C'est ce que beaucoup de gens pensent. Mais il n'en est rien. Internet prétend tisser des liens mais il ne fait que créer l'illusion de liens.

– Que voulez-vous dire ? Vous pouvez préciser ?

– On est dans le virtuel. Je vais prendre l'exemple de Facebook. Connaissez-vous quelqu'un qui, dans la vraie vie, entretienne un réseau de plusieurs milliers d'amis ?

– Mais ne pensez-vous pas que cela est une forme de lien social, que l'amitié et les relations professionnelles se construisent aussi par ce biais ?

– Je ne partage pas votre point de vue. Il ne s'agit aucunement d'un lien social. On est plus dans la mise en relation artificielle que dans la construction de rapports entre individus. Je persiste à penser qu'Internet est source d'isolement.

– Mais les réseaux sociaux permettent quand même bien aux gens d'échanger entre eux !

– Pas du tout ! Bien au contraire. L'utilisation que font les internautes des réseaux sociaux est avant tout dans un but d'affichage (je montre ce que je fais) et de voyeurisme (je regarde ou surveille ce que les autres font).

S'ENTRAÎNER

Exercice 1, p.124 PISTE 44

L'article à partir duquel j'ai construit mon analyse s'intitule « Des robots pour le maintien à domicile des personnes âgées ». Il est tiré du journal *La Croix* du 25 mars 2016.

Nous découvrons à la lecture de cet article qu'il existe des robots dont le rôle est d'aider les personnes âgées à domicile en leur apportant un accompagnement dans la réalisation des tâches du quotidien. Les questions que l'on peut se poser sont les suivantes : quelle aide apportent ces robots ? Peuvent-ils se substituer à l'homme ou ont-ils vocation à accompagner l'action de l'homme ? Ces objets dernier cri sont-ils accessibles à tous ou seulement à la portée des plus fortunés ?

Tout d'abord, l'auteur de l'article explique que de petites entreprises françaises (des « start-ups ») ont mis au point ces robots. Il donne l'exemple de robots « compagnons », d'autres capables de donner des cours de sport ou bien encore de transmettre des informations (comme la météo). Par ailleurs, il précise que ces appareils innovants sont coûteux et que leur rôle est d'accompagner ceux qui aident les personnes âgées au quotidien (à domicile ou dans les maisons de retraite par exemple). Ainsi, ces objets ont vocation à – je cite – « aider les aidants », c'est-à-dire apporter un soutien aux professionnels de l'aide à la personne, et non à remplacer l'action de l'homme. Nous sommes donc encore loin de voir apparaître des robots qui se substitueront complètement à l'action de l'être humain.

Je pense que d'un côté les avancées technologiques comme celle qui est décrite dans le document sont le signe que nous vivons dans une époque de progrès, d'innovation, où la technologie peut grandement rendre service à la personne. C'est une très bonne chose. On vit plus confortablement grâce aux machines. La domotique, par exemple, permet de rendre l'espace de la maison plus vivable à certaines personnes âgées ou souffrant d'un handicap physique. Par ailleurs, dans le domaine de la médecine, la chirurgie robotisée permet de réaliser certaines opérations avec des gestes plus précis que ceux du médecin, limitant ainsi les complications liées à l'opération, comme par exemple dans les cas d'interventions sur des patients atteints de cancers.

D'un autre côté, j'ai le sentiment que ces progrès présentent parfois certains risques. En effet, il est à craindre qu'à terme, les machines remplacent l'action de l'homme. Nous le voyons déjà au quotidien : nous sommes témoins d'une automatisation généralisée avec l'utilisation de distributeurs automatiques de toutes sortes. Ceux-ci effectuent souvent le travail d'une personne, ce qui a pour conséquence de faire disparaître certains emplois.

Par ailleurs, je me pose la question de la fiabilité de ces robots. Pouvons-nous leur faire une confiance aveugle ? Ceux-ci ne sont-ils pas finalement que des machines ? J'ai le sentiment que nous ne maîtrisons pas l'action d'un robot et que par conséquent, cela peut être dangereux. Imaginons, pour reprendre un exemple du domaine médical, un robot à qui l'on confierait la tâche de donner à un malade les médicaments qui lui sont prescrits. N'y a-t-il pas un risque que le robot se trompe de médicament ou de posologie ?

En conclusion, je peux dire que je suis convaincu des bienfaits des technologies sur notre quotidien, notamment sur celui des personnes ayant besoin d'une assistance particulière, comme les personnes âgées par exemple. Ceci étant, je crains qu'une mauvaise utilisation ou une utilisation excessive des machines présentent des risques qu'il ne faut pas sous-estimer.

ÉPREUVE BLANCHE 1 OPTION TOUT PUBLIC

Compréhension de l'oral

DELF niveau B2 du *Cadre européen commun de référence pour les langues*. Épreuve orale collective.

Exercice 1, p.138 PISTE 45

Vous allez entendre 2 fois un enregistrement sonore de 3 minutes environ.

Vous aurez tout d'abord 1 minute pour lire les questions. Puis vous écouterez une première fois l'enregistrement. Concentrez-vous sur le document. Ne cherchez pas à prendre de notes.

Vous aurez ensuite 3 minutes pour commencer à répondre aux questions.

Vous écouterez une deuxième fois l'enregistrement.

Vous aurez encore 5 minutes pour compléter vos réponses. Lisez maintenant les questions.

[Pause de 1 minute]

Première écoute

– Ça y est, c'est parti, aujourd'hui lundi 4 juillet, c'est le début des soldes ! La fameuse folie des soldes !

Qui n'a jamais été témoin de l'euphorie que provoque cette date si spéciale dans le calendrier des consommateurs ? Qui n'a jamais profité de cette « réduction exceptionnelle de 70 % » – pour reprendre les termes employés – ou bien encore de ces « 50 % sur tout le magasin » ? Admettons-le, la période des soldes s'impose, qu'on le veuille ou non, à notre quotidien pendant quelques semaines. Le consommateur est-il libre ou l'incite-t-on à consommer ? Peut-on parler de manipulation ? Les pratiques des magasins sont-elles encadrées ? Nous allons en discuter avec nos deux invités : Roselyne Moreau, vous êtes présidente d'une association de protection des consommateurs. Votre cheval de bataille, pourrait-on dire, c'est la transparence des pratiques tarifaires. François Dumaître, vous êtes sociologue, spécialiste des questions de consommation et plus particulièrement du comportement des consommateurs et de l'influence de la publicité sur ceux-ci.

Roselyne Moreau et François Dumaître, bonjour à vous deux !

– Bonjour.

– Bonjour.

– Alors, on ne peut aujourd'hui allumer la radio ou se balader dans une rue commerçante sans être envahi par des informations provenant de toutes parts et annonçant le « Top départ » des soldes d'été. François Dumaître, comment analysez-vous cet engouement pour les soldes ? Pourquoi parle-t-on de « Top départ » comme s'il s'agissait d'une course ?

– Il s'agit bel et bien d'une course ! Ce qu'il faut bien comprendre, c'est qu'aujourd'hui les comportements des consommateurs sont orientés. Il existe un calendrier de consommation que nous sommes tous contraints de suivre. Et cela concerne tous les âges et catégories socio-économiques.

– Vous voulez dire que nous sommes tous victimes d'un système qui nous impose des règles de consommation ?

– Je n'irais peut-être pas jusqu'à dire que nous sommes victimes, mais nous subissons un mode de fonctionnement, c'est certain. Il a été décidé qu'à certaines périodes de l'année les marques pouvaient liquider leurs stocks en accordant des rabais. C'est un système qui s'impose à nous. Et ce calendrier est ancré dans l'esprit des consommateurs qui, parce que le schéma est le même chaque année, ne se posent même plus de question. C'est devenu quelque chose d'habituel. C'est la course aux bonnes affaires. Et qu'on soit à la retraite, qu'on soit jeune actif ou qu'on ait 12 ans, nous subissons ce mode de fonctionnement pendant plusieurs semaines.

– Donc, nous ne sommes pas victimes d'un système mais nous le subissons ? Expliquez-nous la différence !

– Un cadre s'impose à nous. Ce cadre, c'est le calendrier, comme je le disais, mais ce sont aussi les vitrines qui s'imposent à nos yeux, les publicités dans les magazines, sur les murs, dans le métro. Mais chacun reste libre de décider s'il veut se laisser séduire ou non par ces messages.

– Vous venez de publier, François Dumaître, un ouvrage intitulé *La tyrannie consommatrice*. Vous y décrivez une société difficile à satisfaire, jamais rassasiée, une société qui veut toujours plus de biens, plus de services. À quoi est dû ce phénomène ?

– En effet, le consommateur du XXIᵉ siècle est un éternel insatisfait. Et c'est précisément là-dessus que jouent les marques. En proposant des tarifs exceptionnels, des offres alléchantes, du moins en apparence, elles attisent l'appétit de consommateurs déjà affaiblis par leur soif d'achat. Elles exacerbent le sentiment de besoin. C'est ce que je tente d'analyser dans mon livre. Et dans certains cas, les comportements observés sont proches de ceux des acheteurs compulsifs. N'oublions pas qu'il s'agit d'une pathologie qui touche 4 à 6 % des consommateurs en France. Ça représente tout de même près de 2 millions de personnes !

– Roselyne Moreau, vous êtes présidente de l'association « Consommons justement ». Vous œuvrez en faveur de pratiques tarifaires équitables. La période des soldes est pour vous un moment important j'imagine ?

– Tout d'abord merci de votre invitation. Oui, en effet, c'est une période importante pour notre association. Nous luttons contre les pratiques de vente abusives. Le consommateur est trompé beaucoup plus souvent qu'on ne le pense. Le système paraît être à l'avantage du client, qui est supposé faire des économies. Mais on constate que les vrais gagnants, ce sont les marques.

– Vous voulez dire que l'on ne fait pas d'économies lorsqu'on achète un vêtement à 50 % de réduction ?

– Si, vous en faites si le magasin a été honnête. Les fraudes sont fréquentes. Vous pensez payer un article la moitié de son prix habituel. Or, le soit-disant prix habituel qui est affiché a été gonflé de 20 %. Vous ne faites donc une économie réelle que de 30 %.

– Mais, c'est illégal, ça !

– En effet. Mais c'est une pratique courante. On constate une autre pratique, qui, elle, n'enfreint pas la loi, c'est celle de l'aménagement stratégique des espaces. Sans le savoir, le client à la recherche de bonnes affaires est orienté vers des articles à prix normal, vers une nouvelle collection, pour prendre l'exemple des magasins de vêtements. C'est-à-dire que juste à côté des articles à prix soldés, vous trouverez un superbe rayon, bien agencé, contenant des articles sur lesquels aucune réduction n'est appliquée. On trouve même parfois des articles à prix normal mêlés à des articles en solde sur un même présentoir. Le client, s'il ne regarde pas l'étiquette, s'il n'est pas attentif en caisse, ne fera absolument aucune affaire puisqu'il aura certes acheté un article à prix réduit, mais il aura aussi acheté un article à prix normal. « Normal » n'étant d'ailleurs pas l'adjectif approprié puisqu'en moyenne les articles de mode sont vendus 2 000 % plus chers que ce qu'ils ont coûté à fabriquer.

– Vous avez bien dit 2 000 % ?

– Tout à fait. Très souvent, le coût de fabrication d'un T-shirt vendu 20 euros ne dépasse pas 1 euro. C'est la loi du marché aujourd'hui. On vend moins cher donc on limite les coûts de production au détriment de la qualité du produit. Du coup, les articles s'usent plus vite, le consommateur doit mettre la main au portefeuille plus souvent. Il épanche ainsi sa soif d'achats, comme l'expliquait tout à l'heure François Dumaître. C'est un cercle duquel le consommateur ne peut s'extraire.

– Le consommateur est prisonnier de ce système ?

– Bien sûr, les consommateurs ont un pouvoir d'achat limité et on leur propose des articles qu'ils sont en mesure d'acquérir. Comment peuvent-ils résister ? L'éphémère et le bon marché l'emportent sur la qualité. Ce sera, je pense, la tendance pendant encore bien longtemps. Ce que nous souhaitons, *via* notre association, ce

n'est pas lutter contre ces dynamiques mercantiles. Ce serait illusoire d'imaginer y parvenir. Nous cherchons à garantir des politiques tarifaires non frauduleuses. Ce qui doit primer, c'est un traitement respectueux du consommateur ! Il faut que cessent les abus !
– Roselyne Moreau, François Dumaître, merci beaucoup.
[Pause de 3 minutes]

Seconde écoute
[Pause de 5 minutes]

Exercice 2, p.140 PISTE 46

Vous allez entendre une seule fois un enregistrement sonore de 1 minute 40 environ.
Vous aurez tout d'abord 1 minute pour lire les questions. Après l'enregistrement vous aurez 3 minutes pour répondre aux questions. Pour répondre aux questions, cochez la bonne réponse ou écrivez l'information demandée. Lisez maintenant les questions.
[Pause de 1 minute]
– Qui n'a jamais été déçu, stressé ou heureux de recevoir une note à l'école ? La note est source de joie, d'anxiété, de multiples sentiments, selon l'âge de l'élève, selon les pays du monde et selon le système qui est appliqué. Ce qui est certain, c'est que la note véhicule un message qui ne laisse jamais indifférent. Pour illustrer ce propos, écoutons Jean-Marc Dupré, sociologue de l'éducation.
– Omniprésente à l'école, à tous les niveaux – y compris à l'école maternelle, ce qui est aberrant – la note fait partie de la culture éducative de tout un chacun. Les 12 millions d'écoliers, collégiens et lycéens français reçoivent des notes.
Qu'elle récompense ou sanctionne, la note marque les esprits des élèves. Elle peut décourager aussi, lorsqu'elle tombe comme un couperet en fin d'année scolaire et indique à l'élève qu'il doit, pour quelques centièmes de point manquants, repasser des matières ou redoubler une année, sans pour autant lui indiquer ce qu'il va devoir améliorer.
Le projet mené par la ministre de l'Éducation, qui envisage le retrait des notes au profit d'un suivi commenté des apprentissages, est en ce sens intéressant car il remplacerait la sanction par un conseil. Il fournirait à l'élève des informations. Et c'est essentiel.
Car la note n'a pas aujourd'hui le rôle formateur qu'elle devrait avoir. Au lieu de donner des repères à l'élève, de lui permettre de se positionner, elle constitue un objectif traumatisant. Voulu par le système scolaire depuis des décennies, le poids de la note est par ailleurs souvent entretenu par les parents qui, chaque trimestre, observent d'un œil attentif le fameux « bulletin de notes » et distribuent ensuite récompenses ou réprimandes. Le jugement porté est extrêmement stressant pour l'enfant.
On peut par ailleurs se poser la question de la satisfaction ressentie par l'élève qui reçoit une bonne note. Cette satisfaction est-elle due au fait qu'il a fourni un effort payant – dans ce cas, elle remplit son rôle motivationnel – ou est-elle seulement provoquée par l'atteinte d'un objectif chiffré, auquel cas on peut se demander si la note a réellement un sens.
Je pense que nous devons vraiment nous demander comment faire de l'évaluation des apprentissages scolaires un véritable outil qui permette à l'élève de progresser, sans lui faire perdre confiance en lui, en le motivant.

Cette question apparaît dans les débats à chaque rentrée scolaire mais il ne semble pas que l'on parvienne à trouver de réponse satisfaisante.
[Pause de 3 minutes]

L'épreuve de compréhension orale est terminée. Passez maintenant à l'épreuve de compréhension écrite.

ÉPREUVE BLANCHE 2 OPTION PROFESSIONNELLE

Compréhension de l'oral

DELF niveau B2 du *Cadre européen commun de référence pour les langues,* option professionnelle. Épreuve orale collective. Contexte professionnel : coordonner des projets professionnels.

Exercice 1, p.149 PISTE 47

Vous allez entendre deux fois un enregistrement sonore de 5 minutes environ.
Vous aurez tout d'abord une minute pour lire les questions. Puis vous écouterez une première fois l'enregistrement. Vous aurez ensuite 3 minutes pour répondre aux questions. Vous écouterez une deuxième fois l'enregistrement. Vous aurez encore 5 minutes pour compléter les réponses. Répondez en cochant la bonne réponse ou en écrivant l'information demandée. Lisez maintenant les questions.
[Pause de 1 minute]

Première écoute
« C'est pas du vent », le magazine de l'environnement sur RFI. Anne-Cécile Bras.
– Bonjour, nous savons que ça va mal, crise politique, écologique, économique. Bon, mais, une fois qu'on a dit cela, il y a deux solutions, soit on se réfugie derrière la peur et le désespoir qui nous paralysent, soit on relève la tête et on se dit que c'est une formidable opportunité pour les 7 milliards d'humains que nous sommes d'inventer d'autres façons de consommer, de s'entraider, de repenser les rapports de force entre les pays dits pauvres, et les pays dit riches. Il faut inventer, innover. Mais par où commencer ? Anciela est une association lyonnaise, dans le sud-est de la France, et c'est justement un véritable incubateur d'engagements.
« C'est pas du vent » sur RFI.
– Martin Durignieux, je suis le président et fondateur d'Anciela. Anciela, c'est une association qui a deux missions principales : susciter et d'accompagner les engagements citoyens, c'est-à-dire, permettre à chacun de s'engager dans des associations, dans des collectifs, dans son travail pour une société écologique et solidaire. Et une deuxième mission, qui est d'accompagner des initiatives citoyennes en faveur d'une société écologique et solidaire. Donc, des projets citoyens qui peuvent être des projets d'associations, des projets entre voisins, ou des projets d'entreprises qui s'inscrivent dans une économie sociale et solidaire.
– Quand est-ce qu'elle est née cette association et pourquoi ?
– Alors, elle est née en 2005, à l'époque, j'avais 17 ans.

On avait envie d'agir, on se demandait comment et on s'est dit qu'une association serait intéressante pour valoriser tous les moyens de s'engager qu'on pouvait avoir. À cette époque-là, c'était très très rudimentaire, on avait un petit journal, on avait des ateliers qu'on organisait, des petits événements. Et au fur et à mesure du temps, on est devenus étudiants et on a grandi comme notre association. Et à partir du moment où j'ai quitté mes études en 2011, on a décidé que c'était le moment de mettre une ambition supplémentaire à cette action qui était essentiellement bénévole, et on a commencé, moi j'ai pris une année sabbatique dessus. Et arrivé en 2012, la première personne à temps plein. Et aujourd'hui, il y a 4 personnes à temps plein au sein d'Anciela, et 80 bénévoles bien engagés, dont une dizaine très très engagés, dont moi.

– Est-ce qu'il y a des thématiques qui sont plus prises en main que d'autres ? Notamment dans le domaine écologique ?

– Oui, tout à fait, les dynamiques citoyennes sont liées à ce qu'on vit dans la vie de tous les jours, à ce qu'on voit dans les médias. Les deux grands sujets où on a le plus d'initiatives je pense, aujourd'hui, c'est tout ce qui est autour de l'alimentation et de la santé et tout ce qui est autour des déchets, c'est là où on retrouve 60, 70 % des initiatives. Concrètement, ce qu'on dit toujours à Anciela, c'est que les personnes qui s'engagent ont deux quêtes dans leur engagement, la quête de sens, avoir quelque chose qui fait sens pour eux dans une vie qui n'a pas toujours du sens, dans le monde du travail, dans le monde des institutions, le sens n'est pas toujours perceptible, et recréer du lien. Et donc on retrouve dans les différentes initiatives, toujours, ces deux enjeux, faire du sens, donc toucher, mettre les mains dans la Terre, réparer des choses, accompagner une personnes âgée, aider quelqu'un en difficulté, et faire du lien, toujours que ça se fasse avec d'autres, toujours que ça permette de se rencontrer, et de faire société ensemble, de se retrouver avec des gens qui nous ressemblent, avec des gens qui sont différents de nous, pour avoir le sentiment d'être ensemble.

– Alors, justement, on a quelques porteurs de projets qui sont là, on va démarrer avec Sabrina qui, je crois, est pressée, je vais aller la chercher.

– Bonjour, je m'appelle Sabrina, mon projet s'appelle la maison Upcycling.

– Ça consiste en quoi ce projet ?

– C'est faire du neuf à partir du vieux, donc le but, on va recycler. On recycle comment ? En travaillant à long terme, j'ai réalisé qu'on pouvait recycler à travers les méthodes artisanales d'ailleurs.

– Qui viennent d'ailleurs, c'est-à-dire, qui viennent d'où ?

– À la base, c'était une passion, j'étais une maman, pendant un congé parental, je faisais des choses pour mes enfants. Et puis, j'ai réalisé que ma maman savait faire des choses qu'elle m'avait cachées. Je lui ai demandé de me montrer ce qu'elle savait faire. Et au bout d'un moment, ce n'est pas que ma maman, j'ai rencontré d'autres femmes qui viennent d'Afrique du nord, Maroc,

Algérie, de Tunisie qui ont un savoir-faire que j'aimerais partager avec elles. *(© RFI)*

[Pause de 3 minutes]

<u>Seconde écoute</u>

[Pause de 5 minutes]

Exercice 2, p.151 PISTE 48

Vous allez entendre une seule fois un enregistrement sonore de 1 minute 30 à 2 minutes.

Vous aurez tout d'abord une minute pour lire les questions. Après l'enregistrement, vous aurez trois minutes pour répondre aux questions.

Répondez en cochant la bonne réponse ou en écrivant l'information demandée. Lisez maintenant les questions.

[Pause de 1 minute]

Mais d'abord une question, votre téléviseur est-il 3D ? Si ça se trouve, il l'est, mais vous ne le savez pas, parce qu'en fait vous ne vous en servez pas ? Et oui, c'est un peu ça le problème de la 3D, cette innovation qui était vraiment au summum entre 2010 et 2013, et bien oui, elle risque bel et bien de mourir de sa belle mort, cette année, en 2016. Pourquoi ? Et bien, parce que les deux leaders mondiaux du secteur, Samsung et LG, viennent de faire savoir qu'ils allaient sérieusement lever le pied sur les téléviseurs 3D. En fait, Samsung ne proposera plus aucun téléviseur 3D cette année, et chez LG, seuls 20 % des appareils seront compatibles, en fait, uniquement, les modèles haut de gamme. Alors, comment expliquer cet échec de la 3D, bien, en fait, plusieurs raisons. D'abord, il n'y a jamais eu assez de contenus. Euh, rappelez- vous, en 2009, la sortie du film *Avatar*, en 3D au cinéma d'abord, puis ensuite en vidéo, avait suscité beaucoup d'espoirs. Mais finalement, les films en relief ne se sont jamais vraiment généralisés. Deuxièmement, c'était une technologie contraignante, alors, toujours avec ces lunettes qu'il fallait porter, des systèmes de lunettes différents selon les marques. En plus, ça occasionnait une perte de luminosité sur l'écran. Troisièmement, la 3D est peut-être arrivée trop tôt commercialement. En fait, les consommateurs venaient d'acheter des écrans haute-définition. Ils n'allaient pas racheter en plus, immédiatement, de nouveaux téléviseurs 3D. Et puis, quatrièmement, et bien, en fait, l'image en trois dimensions, est concurrencée aujourd'hui par l'ultra-haute définition qui offre vraiment une telle qualité d'images qu'on a une impression de profondeur et de relief, qui rejoint un petit peu l'effet 3D. Alors, ce n'est pas la première fois qu'une technologie disparaît comme ça. L'histoire de l'électronique grand public est jalonnée de bonnes idées mort-nées, rappelez-vous, le Betamax, le V2000, le HD-DVD sacrifié au profit du Blu-Ray, et puis, on pourrait citer également, le CDI, le mini disc, ou encore, le téléphone Bebop. Mais bon, en ce qui concerne la 3D, plus qu'une technologie, c'était un usage. Et c'est l'usage finalement qui n'a jamais pris. Et pourtant, c'est pas si mal la 3D, il y a encore des adeptes, moi j'en fais partie. *(© France Info)*

[Pause de 3 minutes]

L'épreuve de compréhension orale est terminée. Passez maintenant à l'épreuve de compréhension écrite.

CORRIGÉS

* Les corrigés des productions ouvertes sont des propositions de corrigé.

Compréhension de l'oral

SE PRÉPARER

Activité 1, p.12

Un micro-trottoir	N°1	**Justification :** Un journaliste pose la même question à 7 personnes dans la rue dans le but de collecter différents points de vue sur un sujet qui fait débat. Les personnes interrogées expriment leur opinion en formulant une réponse courte.
Une chronique	N°4	**Justification :** Dans cet extrait, une locutrice s'exprime à la 1re personne et fait des commentaires personnels. Elle parle d'un sujet précis (les mots « urbain » et « rural ») et elle dit qu'il s'agit d'une émission régulière qui a lieu une fois par semaine.
Une interview	N°2	**Justification :** Il s'agit de l'entretien d'un journaliste avec une personnalité qui accepte de répondre à des questions sur sa vie professionnelle dans le cadre d'une émission de radio.
Un débat	N°6	**Justification :** Plusieurs personnes ont été invitées à prendre part à une discussion polémique. Les invités ont des positions opposées et ils interagissent. Nous pouvons repérer le lexique de l'argumentation : « être favorable à », « approuver », « être opposé », « être contre »…
Une table ronde	N°5	**Justification :** Dans cette émission, 3 invités vont parler des moyens permettant de lutter contre l'échec scolaire. Ils vont réfléchir ensemble sur les causes et les conséquences de ce problème pour tenter d'apporter des solutions.

Activité 2, p.13

Politique	Extrait n° 2	**Lexique relatif à la politique :** *élection législative, voter, voter blanc, citoyen, électeur, projet des candidats, élu.*
Sport	Extrait n° 3	**Lexique relatif au sport :** *tournoi des Six Nations de rugby, match des Bleus, joueur de l'équipe de France, jouer au rugby.*
Culture	Extrait n° 4	**Lexique relatif à la culture :** *linguiste, critique, essayiste, romancier, Roland Barthes, œuvre, Mythologies, pensée, exposition, Bibliothèque nationale, toile, citation, photo, actrice, Greta Garbo.*

Activité 3, p.13

Éducation	Extrait n°2	**Lexique relatif à l'éducation :** *transmettre, langue étrangère, encourager, correspondant, écrire, échange linguistique, culture, progresser, motiver, apprentissage, apprendre.*
Santé	Extrait n°5	**Lexique relatif à la santé :** *médicament, sommeil, somnifère, anesthésier, récupérer, sommeil artificiel, système immunitaire, cerveau, respiration.*
Consommation	Extrait n°4	**Lexique relatif à la consommation :** *soldes, promotion, offre spéciale, vente privée, concurrence, prix des articles, acheter, 50 %.*
Économie	Extrait n°1	**Lexique relatif à l'économie :** *prix du pétrole, économiste, croissance mondiale, finance, marché.*
Entreprise	Extrait n°3	**Lexique relatif à l'entreprise :** *entretien d'embauche, postuler, recruteur, candidat, société, recruter, expérience professionnelle.*

Activité 4, p.14

Thème : Des cours de français au musée ou toute autre formulation qui s'en rapproche.
Mots clés : a*pprendre une langue, art, musée, programme d'enseignement du français, tableaux, apprentissage, étrangers.*

Activité 5, p.14

Thème : Des caméras portatives pour les policiers ou toute autre formulation qui s'en rapproche.
Mots clés : *filmé, mettre en œuvre, dispositif, sécurité, police municipale, caméras portatives ou individuelles, renforcer l'autorité.*

Activité 6, p.15

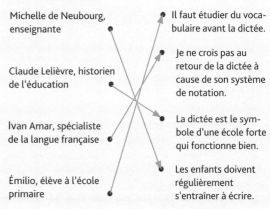

Michelle de Neubourg, enseignante

Claude Lelièvre, historien de l'éducation

Ivan Amar, spécialiste de la langue française

Émilio, élève à l'école primaire

Il faut étudier du vocabulaire avant la dictée.

Je ne crois pas au retour de la dictée à cause de son système de notation.

La dictée est le symbole d'une école forte qui fonctionne bien.

Les enfants doivent régulièrement s'entraîner à écrire.

Activité 7, p.15

	Prénom et/ ou nom	Fonction
« Le service civique c'est un tremplin pour les jeunes diplômés »	Stéphanie	Volontaire en Service Civique
« L'intérêt du service civique c'est de s'engager pour une cause »	Charlotte	Volontaire en Service Civique
« L'engagement est le pilier fondateur du service civique »	Brenda Coran	Animatrice
« Dans le recrutement, on prend plus en compte la motivation et la capacité d'adaptation »	Nathalie Chaverot	Chargée du recrutement

Activité 8, p.16

Tonalité	N° de l'extrait	Justification
Ironique	Extrait n°3	La locutrice fait ce qu'on appelle de l'antiphrase, c'est-à-dire qu'elle dit le contraire de ce qu'elle pense. Elle exagère aussi certaines situations. Nous comprenons bien qu'elle cherche à ridiculiser le covoiturage. Elle se moque de ce mode de transport.
Polémique	Extrait n°1	Un interlocuteur coupe la parole d'un autre et ensuite, il ne lui laisse pas la possibilité de s'exprimer. Il cherche à imposer son point de vue. Nous pouvons observer dans l'extrait la présence de répétitions, de négations et de connecteurs logiques de l'opposition.
Didactique	Extrait n°2	La personne transmet des informations en tenant compte de la compréhension des auditeurs. Il utilise des formes interrogatives pour capter l'attention ; il utilise des connecteurs de reformulation pour s'assurer que les auditeurs ont bien compris son message et il donne un exemple pour rendre une information plus concrète.

Activité 9, p.16

1. Polémique
2. Un locuteur coupe la parole à son interlocutrice et s'oppose fermement à ce qu'elle vient de dire. Il empêche un autre locuteur de s'exprimer. Les interlocuteurs cherchent à s'imposer dans la discussion. Il y a une atmosphère conflictuelle.
Nous pouvons repérer la présence de répétions, de négations et de connecteurs logiques de l'opposition et de la concession. Les interlocuteurs ne s'écoutent pas et cherchent à prendre ou garder la parole pour imposer leur point de vue.

Activité 10, p.17

	Enthou-siaste	Nuancé	Critique	Justification
Extrait n° 1		X		Utilisation du connecteur logique de la concession « bien que ». Présence d'arguments pour et contre le livre numérique.
Extrait n°2	X			Emploi d'adjectifs mélioratifs : « génial », « précieux ». Présence uniquement d'arguments pour le livre numérique.
Extrait n° 3			X	Usage uniquement d'arguments contre le livre numérique. Présence de verbes à sens négatif : « s'épuiser » et « empêcher ».

Activité 11, p.17

1. Un regard critique.
2. Le baccalauréat enferme les enseignements dans des limites étroites.
3. – Je pense que… – De mon point de vue…
4. « On retire de mon point de vue de la liberté aux enseignants… »

Activité 12, p.18

1. De leur coût. De leur origine. De leur composition.
2. Malgré – Quand même .
3. Ce sont des connecteurs logiques de la concession. Ils permettent d'exprimer une cause qui ne produit pas d'effet, une contradiction, une opposition partielle.
4. Assez nuancé.
5. Même si les produits bio sont bons pour la santé, il faut vérifier d'où ils viennent.

Activité 13, p.19

1.

Prise de notes sur ordinateur :	Prise de notes à la main :
– Les étudiants ont tendance à tout noter. – Ils prennent en note un grand nombre d'informations.	– Les étudiants sélectionnent l'information. – Ils font des efforts de compréhension. – Ils font la synthèse des idées du cours.

2. Prendre trop de notes est inefficace et empêche de bien mémoriser.

Activité 14, p.19

1. **Exemple de prise de notes :**
Pour parler efficacement, il faut rester authtiq.
Autrement dit on doit parler vrai.
Or qd on se prépare bcp, on dvlp des auto. qui réduisent le stress.
Pour autant il ne faut pas apprendre par cœur.
Autrement dit on doit créer les cdt° d'une conversation.
Donc il faut laisser place à l'imprévu, à l'auth., parfois à l'erreur.
On doit se préparer **mais** aussi laisser faire les choses.

Abréviations utilisées : authtiq. = authentique/ qd = quand/ bcp = beaucoup/ dvlp = développer/ auto. = automatisme/ cdt° = condition / auth. = authenticité

2.

Autrement dit ● → Pour introduire un argument nouveau décisif.

Or ● → Pour exprimer la conséquence.

Pour autant ● → Pour exprimer l'opposition.

Donc ● → Pour reformuler une idée.

Mais ● → Pour exprimer la concession.

3. Les intervenants doivent se préparer tout en restant vrais.

Activité 15, p.21

c. Bien que les parents aient un rôle à jouer dans l'orientation des jeunes et qu'ils les connaissent bien, ils doivent tenir compte de l'avis des professionnels de l'éducation et ne pas prendre une place trop importante dans cette démarche.

Activité 16, p.21

1. Un instrument utile donnant la possibilité à tout individu de publier un texte.

2.

L'édition	L'autoédition
– Elle est qualitative. – Elle fait un choix et risque son capital. – Les textes sont retravaillés avec l'auteur.	– Elle est démocratique. – L'auteur est seul et il met en ligne lui-même son texte ou le publie sur papier. – Le texte publié n'est pas revu, ni validé, ni sélectionné par d'autres personnes.

3. **Exemple de reformulation :** Dans l'autoédition, l'auteur travaille seul et il publie librement son texte sur Internet ou sur papier. **En revanche**, dans l'édition, les textes sont sélectionnés et retravaillés avec l'auteur avant la publication.

Activité 17, p.22

1.

Création des conférences de préparation à l'agrégation	1839
Création du CAPES	1950
Fermeture des IPES	1978
Création des écoles normales	1833
Harmonisation du recrutement et de la formation des professeurs du primaire et du secondaire	1991
Création des ESPE	2013

2.

IPES	Institut de Préparation à l'Enseignement Secondaire
CPR	Centres Pédagogiques Régionaux
IUFM	Institut Universitaire de Formation des Maîtres

Activité 18, p.23

1. 2 400 mots.
2. De 1990.
3. Les écoliers verront la nouvelle orthographe dans les ouvrages scolaires.

4. **a.** La suppression du trait d'union dans les noms composés de *contre*, *entre* ou *extra*.
Exemple : le mot « extra-terrestre » devient « extraterrestre ».
b. La suppression de l'accent circonflexe quand il est inutile.
Exemple : le verbe « paraître » devient « paraitre ».

Activité 19, p.23

1. On applique un autre système de notation.
2. – des compétences ;
   – des savoir-être ;
   – des savoir-faire.
3. Faux.
Justification : « C'est presque pire » ou/et « ça donne en fait quelque part un utilitarisme ».

S'ENTRAÎNER

Exercice 2, p.26

1. Une table ronde.
2. La place d'Internet dans le monde médiatique ou toute autre formulation qui s'en rapproche.
3. – Faire exprimer des points de vue.
   – Réfléchir sur l'évolution médiatique.
4. Faux
Justification : « Tous les médias maintenant disposent d'un lieu [...] sur un site internet »
5. Il utilise une vieille technique d'impression.
6. Un support médiatique inévitable.
7. Il n'a ni publicité, ni site internet.
8. Ils se sont créés sur papier sur un monde différent et/ou ils ont choisi d'aller à contre-courant.
9. Ils ont l'habitude de s'informer via différents médias.
10. Ils entretenaient une forme de complicité entre eux.

Exercice 3, p.27

1. Une table ronde.
2. De 9 à 10 écrans.
3. La présence d'enfants.
4. Ils fonctionnent constamment et simultanément.
5. Plutôt modéré.
6. Ils ont une mauvaise influence sur l'hygiène de vie des enfants.
7. Attirer l'attention sur les conséquences de l'usage des écrans.
8. – L'enfant n'écoute pas.
   – Il ne veut pas faire les actions du quotidien (se doucher, faire ses devoirs…).
9. Ils créent des situations d'énervement.
10. Ils réduisent leur capacité à se faire obéir.

Exercice 5, p.30

1. Éducation.
2. C'est la semaine des stages pour les élèves de troisième.
3. Des qualités personnelles du collégien.
4. – Comme une obligation.
   – Comme une première étape vers le monde du travail.
5. De l'importance que les adultes accordent à cette expérience.
6. L'élève commence à se considérer comme un individu indépendant.

7. Ils ont conscience des difficultés professionnelles de leurs parents.

Exercice 6, p.31

1. Un débat.
2. Le vote blanc et le vote nul.
3. Il y est radicalement opposé.
4. S'intéresser concrètement à l'action des élus.
5. Député et président du nouveau parti écologiste.
6. Une réponse attendue parmi les trois suivantes :
   – Un effet de sociabilisation en politique.
   – Un effet d'acculturation civique.
   – Un effet d'accoutumance au vote.
7. Les gens votent pour éviter de payer une contravention.

Compréhension des écrits

SE PRÉPARER

Activité 1, p.38

Titre : Écoles du numérique, un avenir devant soi.
Chapeau : Paragraphe en gras.
Intertitres : Formation gratuite - Pédagogie innovante.
Source : Ermance Musset, *Apel Famille & Education n°510*, janvier-février 2016.
Thème du texte : L'école du numérique.

Activité 2, p.39

	Source 1	Source 2	Source 3
Ce texte est issu :			
– d'un hebdomadaire	x		
– d'un mensuel		x	
– d'un blog sur Internet			x
Il vient :			
– d'un magazine généraliste	x		
– d'une revue spécialisée		x	
Il a été écrit par :			
– un journaliste	x		x
– un spécialiste		x	

Activité 3, p.40

	Politique	Société	Économie	Environnement	Sciences	Culture	Sport
Alzheimer : le casse-tête des chercheurs					x		
Jeux Olympiques 2024 : Paris dévoile le logo de sa campagne							x
Bourses mondiales : les marchés en baisse depuis plusieurs semaines			x				
Les musées français s'ouvrent aux collectionneurs chinois						x	
Loi numérique : des mesures pour mieux protéger les internautes	x						
Réforme du collège : imbroglio autour de l'avenir des classes bilangues		x					
Crise agricole : pourquoi ne pas rétablir les quotas de production ?			x				
Pour la défense de la biodiversité, interdisons les insecticides néonicotinoïdes				x			
Remaniement ministériel : le casting du nouveau gouvernement	x						
Tâches ménagères : les inégalités ont la vie dure !		x					

Activité 4, p.40

1. **a. Quoi ?** la mobilité partagée. **Qui ?** Tout le monde. **Quand ?** Actuellement et dans un avenir proche (le temps utilisé est le présent + expression « ne fait que commencer »). **b. Rubrique la plus adaptée :** Société. **c. Titre proposé :** La mobilité partagée révolutionne de nombreux domaines d'activités.
2. **b. Quoi ?** Être locataire ou propriétaire d'un bien immobilier en France. **Qui ?** Les personnes qui cherchent un logement. **Quand ?** Actuellement. **b.** Rubrique la plus adaptée : Société. **c. Titre proposé :** Les nouvelles formes de logement en France.
3. **c. Quoi ? Qui ?** Les médiathèques et leur choix d'activités. **Quand ?** Actuellement. **b. Rubrique la plus adaptée :** Société. **c. Titre proposé :** Le nouveau succès des médiathèques.

Activité 5, p.41

	Ton neutre	Ton engagé	Justification
Réforme de l'orthographe : les manuels revus et corrigés	x		Le titre contient des éléments factuels (on revoit et on corrige les manuels)
Réforme de l'orthographe : inapplicable !		x	« inapplicable » montre la prise de position de l'auteur + exclamation
Nouvelle orthographe, accent circonflexe : la réforme surprise de l'orthographe	x		Le mot « surprise » ne sous-entend pas ici une prise de position particulière
Contre une réforme de l'orthographe dénaturant la langue française		x	« contre », « dénaturant » illustrent la position critique de l'auteur

Activité 6, p.42

1. L'impact de la publicité sur l'obésité des enfants.
2. Informer les lecteurs d'une situation sur la base d'études scientifiques.
3. **Partie 1 :** Introduire l'article, présenter le développement.

Partie 2 : Présenter l'objet et les résultats d'études scientifiques. **Partie 3** : Préciser ces résultats par l'analyse psychologique. **Partie 4** : Préconiser une solution au problème soulevé.

4. **Intertitre 1** : La stimulation visuelle plus forte que le stimuli olfactif. **Intertitre 2** : Deux heures par jour devant la publicité. **Intertitre 3** : Vers un meilleur encadrement de la publicité.

5. « Obésité des enfants : la publicité mise en cause par des scientifiques ».

Activité 7, p.44

	Indicateur de temps	Adverbe de manière	Articulateur logique	Idée exprimée
depuis longtemps	x			/
notamment		x		/
tant			x	Intensité
mais			x	Opposition
aucunement		x		/
cependant			x	Opposition
et			x	Addition
c'est pourquoi			x	Conséquence
pour l'avenir	x			/
par ailleurs			x	Addition
quant à			x	Addition
pour peu que			x	Condition

Activité 8, p.45

Il est un secteur qui résiste fort bien à la crise et en a même « profité » : l'Économie Sociale et Solidaire (ESS) représente 10 % du PIB et 2,4 millions de salariés. [...] Des tendances de fond de notre société favorisent l'essor de cette économie plus douce, soucieuse de l'humain et de son environnement.
D'abord, le consommateur est devenu plus responsable dans ses achats. Un Français sur deux déclare **désormais** intégrer dans ses achats la dimension sociale et environnementale (source *Ethicity Greenflex*). **Même** les écoles de management proposent de plus en plus de masters combinant quête de sens et performance, prônant une autre vision de la réussite. **Enfin**, si l'ESS se professionnalise, les entreprises « classiques » internalisent les considérations économiques et sociales. [...]
Alors, que faire pour favoriser son développement ? **Premièrement**, limiter l'écart des rémunérations dans une même entreprise. Dans un contexte où les inégalités se creusent, est-il inconcevable d'adopter une échelle raisonnée des salaires ? [...] **deuxièmement**, changer de mesure et adapter notre comptabilité avec de nouveaux indicateurs portés au bilan, à parts égales avec les ratios financiers usuels. Des indicateurs qui permettent de considérer les salaires non comme une charge, mais comme un investissement. Des exemples inspirants existent avec la comptabilité universelle ou le capital immatériel. **Troisièmement**, systématiser l'inclusion de structures de l'ESS dans les commandes publiques. La loi

ESS pose un premier cadre qu'une décision du gouvernement pourrait déployer. L'ESS ne connaît pas la crise, aidons-la à prospérer au service de l'humain !

Activité 9, p.45

	Texte narratif (raconter une histoire)	Texte informatif (présenter des faits)	Texte argumentatif (prendre position)	Éléments du texte justifiant votre choix
Extrait 1		x		Il s'agit d'informations issues d'un rapport scientifique répertoriant les menaces pour l'emploi de demain.
Extrait 2	x			« une histoire qui commence... » + succession de verbes d'action qui racontent l'histoire « rentre », « doit travailler », « trouver de l'argent », « fait émerger l'idée ».
Extrait 3			x	Les auteurs essaient de convaincre le lecteur grâce à un raisonnement (« l'objectif de la transition que nous proposons », « la transition qu'il s'agit de mener », « de cet impératif peut naître une justice sociale ») + arguments (« réinventer une nouvelle solidarité », « protéger le bien-être... »).

Activité 10, p.47

	Ton polémique	Ton pessimiste	Ton sceptique	Ton ironique
Extrait 1 : Les joueurs du XV de France ont fait les frais de leur inexpérience face au Pays de Galles. Dommage ! Nous attendions mieux de cette équipe.		x		
Extrait 2 : Après une prestation aussi médiocre, on peut s'inquiéter de la suite de la compétition. Cette équipe saura-t-elle nous montrer le talent que l'on attend d'elle ?			x	
Extrait 3 : Une attaque presque inexistante, une défense fébrile, des joueurs en mal d'inspiration. Cette équipe a-t-elle perdu ses fondamentaux ? Il est temps que les entraîneurs se remettent en question !	x			
Extrait 4 : Que d'énergie déployée pour si peu de points gagnés ! Que de cadeaux offerts à l'adversaire ! Une prestation sportive que nous ne sommes pas prêts d'oublier !				x

Activité 11, p.48

| | Procédé utilisé | | | | Expression de | |
	Adjectif	Adverbe	Verbe	Expression	certitude	doute
1. Selon les prévisions météo, la semaine prochaine sera probablement pluvieuse.		x				x
2. Le PSG reste en tête du championnat et, de toute évidence, le gagnera en fin de saison.				x	x	
3. Certains prétendent que la vie sur Mars est possible.	x		x			x
4. Suite aux mauvais chiffres du chômage, le gouvernement va assurément mettre en place des mesures pour l'emploi.		x			x	
5. Il ne fait aucun doute que la marée noire va polluer le littoral sur plusieurs dizaines de kilomètres.				x	x	

Activité 12, p.48

1. Reproche - 2. Hypothèse - 3. Insistance - 4. Comparaison - 5. Hypothèse - 6. Obligation - 7. Ironie.

Activité 13, p.49

a. Présenter la mutation des espaces et services dans les médiathèques.
b. Il présente à la fois des opinions positives et négatives.

Activité 14, p.50

1. **Vrai** : (*La médiathèque est le seul lieu (...) qui assure une mixité intergénérationnelle*).
2. **Faux** : il a été multiplié par 8 (*d'un millier au début des années 1980, on est passé à quelque huit mille*).
3. **Faux** : (« nombre de bibliothécaires, déstabilisés, vivent mal cette mutation »).

Activité 15, p.50

a. 1. Le mélange des générations (« la mixité générationnelle »). 2. Un lieu de rencontre (« un lieu pour le vivre-ensemble / fabriquer du lien »). - b. Cours de tricot, de yoga, de cuisine, grainothèque, atelier de recherche d'emploi, de réparation de vélo, « battle » de jeux vidéo...

Activité 16, p.50

1. Les jeunes sont toujours plus attirés par les réseaux sociaux
2. Des perturbations du trafic aérien sont à craindre au départ de Paris.
3. Le mode d'organisation collaboratif a un impact positif dans les entreprises.
4. Nous gaspillons annuellement trop de nourriture.
5. Les conducteurs doivent ralentir pendant les périodes de forte pollution de l'air.

Activité 17, p.51

1. Il fait construire de magnifiques bâtiments à l'architecture moderne.
2. Les changements ont principalement lieu dans les bibliothèques, au niveau des activités proposées et de l'aménagement des espaces intérieurs.

Activité 18, p.51

1. « Fabriquer du lien » signifie permettre aux gens de se rencontrer pour construire des relations, par exemple discuter, partager des moments ensemble.
2. Cela veut dire que les bibliothèques étaient autrefois des lieux à part qui ne connaissaient pas de changement ; les bibliothécaires n'étaient pas bouleversés dans leurs habitudes de travail.

S'ENTRAÎNER

Exercice 2, p.55

1. **b**
2. **c**
3. a. **Vrai** : (La propriété « est un objectif partagé par plus de 80 % des Français »). b. **Faux** : le pourcentage de propriétaires en Allemagne est inférieur à celui de la France, qui est de 65,1 %.
4. Cela signifie qu'on ne peut pas se permettre de payer un loyer, que c'est inaccessible financièrement.
5. Les acheteurs trouvent sur Internet des informations de qualité qui les aident à prendre leur décision d'achat.
6. a. Devenir veuf. b. se séparer.
7. a. **Vrai** : (« Les créatrices du site *Cotoiturage.fr* ont ainsi eu l'idée de mettre en relation les familles monoparentales »). b. **Vrai** : (« D'autres couples prennent le large : la maison est troquée contre un camping-car »).
8. Aujourd'hui, le confort de vie n'est pas forcément lié à l'achat d'un logement et de plus en plus de personnes choisissent de ne pas devenir propriétaires de leur logement.

Exercice 3, p.58

1. **b**
2. **b**
3. a. **Vrai** : (« Ces plantes précieuses font aujourd'hui l'objet d'une lutte féroce entre les industriels du secteur »). b **Faux** : (« le cours s'envole – comme celui de la vanille, qui a quintuplé ces dix derniers mois »).
4. Les aléas des cours des plantes précieuses - la baisse de la qualité - les aléas climatiques - le prix de la main-d'œuvre.
5. « pérenne » signifie qui dure longtemps. Les créateurs de parfums essaient de trouver des solutions à long terme : « consolider les filières », « investir dans la durée » pour assurer un approvisionnement régulier et stable d'une grande variété de plantes.
6. **Vénézuela** : Givaudan s'est associé à une ONG pour s'assurer l'approvisionnement de la fève tonka.
Indonésie : il a un accès plus facile à l'offre et aux prix de ses fournisseurs grâce à un système de cartographie.
7. Pour améliorer durablement la qualité des végétaux et la productivité agricole.
8. Ils installent une filiale sur place ou une coentreprise.

Exercice 5, p.64

1. b.
2. a.
3. b. et e.
4. a. **Faux** : « Nous faisons volontairement beaucoup de choses que les pouvoirs totalitaires cherchaient à imposer par la force et la violence ou la peur ».
b. **Vrai** : le téléphone portable a « un numéro au moyen duquel il pourra éventuellement être contrôlé ».
c. **Vrai** : « Ces technologies sont susceptibles de nous trahir auprès d'un employeur ».
5. Cette phrase signifie que de nombreux utilisateurs acceptent de donner des informations personnelles et prennent inconsciemment des risques pour leur vie privée.
6. La téléréalité révèle que l'humain, en tant qu'être social, consent facilement à se montrer dans son intimité.
7. c.

Exercice 6, p.66

1. c.
2. b.
3. La mondialisation a des répercussions économiques sur la mode et sur le tourisme. Les marques de luxe voient se développer une « clientèle voyageuse » avec du pouvoir d'achat (exemple : le Japon).
4. a. **Vrai** : (« Cartier, Boucheron et Bulgari se sont lancés dans le parfum, Dunhill et Montblanc se sont convertis à la maroquinerie, au textile ou à l'horlogerie »). b. **Faux** : (elles « ont perdu le contrôle de leurs gammes »).
5. Le « packaging ostentatoire », les « magasins phares », les « opérations de relations publiques tonitruantes ».
6. a.
7. b.
8. Les marques doivent se recentrer sur leur métier de base, produire dans le pays d'origine et assurer l'approvisionnement de leurs matières premières.

Production écrite

SE PRÉPARER

Activité 1, p.74

1. Vous décidez d'écrire au courrier des lecteurs d'un magazine de mode pour donner votre opinion sur le recours à la chirurgie esthétique. Vous faites part de votre expérience et vous insistez sur les avantages et les inconvénients (250 mots environ).

Activité 2, p.74

Qui écrit ?	Sujet 1	Sujet 2	Sujet 3
	Un employé (dans une société francophone)	Un internaute	Un citoyen, un lecteur de quotidien

Pour qui ?	Directrice	Les lecteurs du forum	Les lecteurs du journal et l'opinion publique
De quoi on parle ?	L'absence de limites entre la sphère privée et la sphère professionnelle	La mode des selfies	Non-respect de la qualité, et du consommateur
Type d'écrits : **Débat :** forum, courrier des lecteurs **Lettre formelle :** lettre de plainte/ réclamation/ protestation/ de réponse/ de motivation/ proposition de projet/ demande de renseignement	Lettre de protestation	Forum	Courrier des lecteurs
Mots clés	Privé/ professionnel Dangers/ solutions Burn out	Mode Selfies	Choquant, pratiques, ressources humaines, entreprise de luxe, bas de gamme, indignation
J'écris pour…	Faire une réclamation Proposer une alternative	Participer à un débat Exprimer une conviction	Exprimer une conviction Proposer une alternative
J'écris parce que…	Je souhaite alerter ma hiérarchie et proposer des solutions.	Je souhaite partager ma conviction et alerter sur une pratique.	Je suis choqué et je veux proposer une solution

Activité 3, p.76

1. Un client.
2. Au service commercial de son opérateur téléphonique.
3. Les relations commerciales et les relations avec le client.
4. Une lettre formelle (lettre de réclamation).
5. Pour mettre fin au contrat.
6. Vous n'êtes plus satisfait des services et des prestations proposés.

Activité 4, p.76

1. L'égalité dans les écoles.
2. Est-il encore nécessaire de porter un uniforme aujourd'hui ?

Activité 5, p.77

Mots clés : *télétravail, Français, incompatibilité, bénéfices.*
Thème : Les modalités de travail.
Problématique : Pourquoi le télétravail n'est-il pas plus développé en France ?

Activité 6, p.77

Mots clés : *cigarettes électroniques, lieux publics, interdiction.*
Thème : Législation et cigarettes/tabagisme passif.
Actes de parole attendus : exprimer sa colère, son inquiétude, sa conviction, son opinion.
Type de texte attendu : post sur un forum.

Activité 7, p.78

1. **Idées** : Partager - Discuter - Socialiser - Anonyme - Exposer sa vie/discrétion - Se construire une image.
Association d'idées : Réseau, maîtrise des outils/ non méfiance dans les rapports virtuels. Confusion frontière vie privée/vie publique.
2. **Mots clés** : Facebook (réseaux sociaux) - Adolescents – Comptes - Amis (réels et virtuels).
Opposition de mots clés : Danger : cyber harcèlement, e-réputation - Maturité, recul - Confidentialité - Liberté d'expression.
3. Est-il nécessaire de recevoir une éducation aux médias pour gérer notre identité (et nos relations) sur les réseaux sociaux ? Quel est le rôle des parents ? Contrôle et dialogue ?
Association d'idées : La gestion des relations sur les réseaux sociaux. - Nécessité d'une éducation dès l'école primaire. - Pour les enfants et aussi les parents.
4. **Exemples** : Adolescents victimes de lynchage médiatique sur Facebook ou ask.fr - Usurpation d'identité - Invitation ouverte à tous/ quelques amis.
Perspective historique : parallèle avec les relations épistolaires.
Perspective juridique : évolution très lente de la législation/situation trop récente.

Activité 8, p.79

Mots clés du document : *animaux, sensibilité, souffrance animale.*
Problématique du document : Comment faire évoluer la société afin de mieux traiter les animaux ?
Thème : Le statut des animaux et leur traitement
Animaux : animaux de compagnie, animaux/utilité sociale (chien pour aveugle, anti-drogue).

En reprenant les mots clés du document :
• **Souffrance** : laboratoire, élevages intensifs, cirque, zoo, chasse, cruauté, violence.
• **Le statut des animaux et leur traitement** : déclaration universelle du droit des animaux (1978). 2013 : interdiction de l'expérimentation animale pour l'élaboration des produits cosmétiques (Union européenne).
• **Sensibilité** : problème de l'abattage dans de mauvaises conditions, degré de sensibilité différente, capacité de ressentir la souffrance.

En opposant les mots clés :
Animaux / aliments : Le cru et le cuit : ce qui différen-
cie l'homme et l'animal. Tous les animaux n'ont pas la même sensibilité (différence entre une crevette et un chien). Empathie. Vers un droit différencié ?

En adoptant différentes perspectives :
• **Historique** : se défendre des animaux sauvages, peur ancestrale, animal machine (Descartes).
• **Géographique** : différences juridiques selon les pays.
• **Scientifique** : animaux de laboratoire ; mise en place de protocole pour éviter d'utiliser des animaux.
• **Agricole** : élevage intensif, animal machine.
• **Diététique** : refus de la viande, végétarien, baisse de la consommation de viande en France.

Activité 9, p.80

Contre :
a. L'uniforme ne doit pas être imposé, sinon cela va créer un sentiment de rejet vis-à-vis de l'école. Les adolescents doivent être associés à la mise en place de l'uniforme.
b. Les adolescents peuvent trouver d'autres moyens pour montrer leurs différences : accessoires, chaussures, sacs, etc.
c. Ils sont bien souvent chers et les jeunes grandissent vite.
d. Uniforme ne veut pas dire discipline. Il ne gomme pas les problèmes.
e. Les adolescents ont besoin d'exprimer leurs différences, leur personnalité.

Activité 10, p.80

Accord	Désaccord	Nuance
1-3	4	2-5

Activité 11, p.81

– **Idée exprimée** : évolution des supports de lecture : des résistances mais aussi une histoire qui se répète.
– **Exemple culturel** : on est passé du 33 tours au cd, au mp3 ; du feuilleton littéraire (Alexandre Dumas) aux séries télé ; de la presse papier à la presse en ligne par Internet.

Activité 12, p.81

Partie 1 :
Idées principales :
La situation dans les écoles aujourd'hui
Arguments :
1. Réforme négative ;
2. Enseignement souvent inefficace.
Exemples :
1. Au niveau européen, niveau très faible en langues des collégiens français ;
2. Heures de cours insuffisantes, classes surchargées.

Partie 2 :
Idées principales :
Conséquences
Arguments :
1. Création d'inégalités.
2. Difficultés face à un monde globalisé.
Exemples :
1. Pouvoir de s'offrir des cours de langues, des séjours linguistiques.
2. Travail, études (Erasmus).

Activité 13, p.82

• **Pour ou contre les fraises en hiver ?**
Thème général : Évolution des habitudes alimentaires/mondialisation.
Idée essentielle 1 : les problèmes environnementaux
Mots clés : *transports/production - consommation en eau - pesticides – écosystèmes.*
Idées secondaires : danger pour l'homme (travailleurs et consommateurs) ; une habitude néfaste.
Idée essentielle 2 : les solutions, consommer local
Mots clés : *locavore - goût*
Idées secondaires : éducation au goût ; une habitude à changer.

• **Pour ou contre la féminisation des noms de métiers ?**
Thème général : évolution de la langue/une question politique ?
Idée essentielle 1 : situation en France
Académiciens/traditionalistes
Mots clés : *règles - grammaire - usage - résistance.*
Idées secondaires : des résistances au changement (sonorité, neutralité de la fonction, peur d'une dévalorisation). C'est l'usage qui décide.
Idée essentielle 2 : situation dans le monde francophone
La féminisation des mots est plus largement répandue.
Mots clés : *égalité - évolution des mentalités.*
Idées secondaires : volonté politique pour la parité hommes/femmes. Utilisation par les médias.

• **Pour ou contre les zones piétonnes en centre-ville ?**
Thème général : réaménagement des villes
Idée essentielle 1 : Avantages : revitalise les zones centrales parfois abandonnées au profit des centres commerciaux.
Mots clés : *mobilité douce - plus de petits commerces - les gens viennent par plaisir (et non par obligation comme au supermarché) - prévoir un service de livraison.*
Idées secondaires : moins de pollution - développement des transports publics, vélo.
Idée essentielle 2 : Inconvénients : difficultés pour les commerçants.
Comment lutter contre les centres commerciaux accessibles en voiture ?
Mots clés : *interdiction - voiture.*
Idées secondaires : lutter contre les idées reçues : pas de voitures, pas de commerces.

Activité 14, p.83

8	*S. Blanque*
1	sylvain.blanque@gmail.com
1	Sylvain Blanque 80, rue de Paris 72040 La Flèche
3	La Flèche, le 16 juin 2016
4	Objet : demande de remboursement
5	Madame, Monsieur
7	Veuillez agréer, Madame, Monsieur, mes salutations distinguées
2	Bons plans Voyages - Service commercial - 25 allée des cerisiers - 95050 - Cergy

Activité 15, p.84

1. A. 3 ; B. 4 ; C. 2 ; D. 1.
2. A. 3 ; B. 1 ; C. 4 ; D. 2.

Activité 16, p.84

A. 4 ; B. 1 ; C. 3 ; D. 2.

Activité 17, p.85

Madame la présidente,
Nous venons d'apprendre avec stupeur le projet d'ouverture d'un centre d'enfouissement de déchets radioactifs dans notre région. En tant que porte-parole du comité contre l'implantation du site, je me permets de vous faire part des dangers d'un tel projet.

Activité 18, p.85

Introduction 1 :
Thème : Le vol des vélos.
Problématique : Le développement de parkings sécurisés pourrait certainement mettre fin aux vols de vélos.
Plan :
1. Mécontentement face à la situation.
2. Des solutions pour mettre fin à ce désagrément.
Introduction 2 :
Thème : La démocratisation de l'art.
Problématique : Comprendre est-il nécessaire pour apprécier une œuvre d'art ?
Plan :
1. Nécessité d'avoir un bagage culturel pour apprécier une œuvre d'art.
2. Des barrières à la démocratisation de l'art.
3. Des solutions pour ouvrir l'art au grand public.

Activité 19, p.86

Les MOOC sont des cours en ligne ouverts à tous, accessibles du monde entier, à mi-chemin entre les cours par correspondance et le e-learning classique. Ce nouveau type de formation apporte-t-il une innovation pédagogique, ou bien s'agit-il d'un effet de mode ?
Nous verrons dans un premier temps les grands principes des MOOC, et leur organisation. Puis nous aborderons les différences avec l'enseignement traditionnel pour voir si réellement nous pouvons parler d'innovation pédagogique, et nous verrons quelle peut être leur utilité pour la société en général et le monde de l'entreprise.

Activité 20, p.86

1. « L'uniforme permet en surface de réduire les inégalités sociales dans les écoles. Je crois aussi qu'il aide à créer un sentiment d'appartenance. Mais il est nécessaire pour faire adhérer les élèves de les associer à ce choix. »
2. « Or notre système scolaire est-il prêt à entendre et à écouter leurs voix ? »

Activité 21, p.86

1. **Enjeux** : Le vivre-ensemble, trouver un accord de bon voisinage, respect des uns et des autres.
2. **Perspectives** : Proposer l'ouverture d'un espace pour les concerts, pour tous les publics de la ville.
3. Veuillez agréer, Monsieur, mes salutations distinguées.

Activité 22, p.87

1. b ; 2. c ; 3. e ; 4. h ; 5. d ; 6. a ; 7. g ; 8. f.

Activité 23, p.87

Je souhaiterais apporter ma modeste contribution concernant le débat livres papier ou livres numériques. Je suis un lecteur passionné et un amateur de romans historiques et d'essais sur la période de la Révolution française.

Je fais beaucoup de recherches, et il est vrai que les livres et la presse numérique nous oblige à passer des heures sur écran, **en outre** on est dépendant d'une technologie. **Mais** les liseuses prennent peu de place, et elles me permettent **donc** de stocker de nombreux ouvrages et articles **ou encore** on peut accéder gratuitement aux classiques. **Ainsi**, cela permet d'économiser du papier, surtout pour la presse. **De plus**, cela éviterait aux écoliers de porter des kilos de livre sur le dos. **Et** les livres numériques permettent **par exemple**, de surligner, d'accéder à un dictionnaire. **En revanche**, je reste nostalgique des vieux romans. On pourrait **notamment** faire un parallèle avec la photo numérique et argentique.

En conclusion, chacun doit pouvoir choisir, selon ses envies, sa situation économique et géographique.

Activité 24, p.88

Je suis choqué par la décision prise par le gouvernement car **il apparaît** qu'environ 300 000 colonies d'abeilles domestiques périssent chaque année.

Je ne nie pas que les pesticides ont constitué un énorme progrès dans la maîtrise des ressources alimentaires, **néanmoins**, ils constituent un danger pour l'homme, ainsi que pour la faune et la flore. **Il est exact que** les pesticides sont destinés à protéger les cultures, mais sans tenir compte des effets secondaires.

Il est certes nécessaire de lutter contre les ravageurs de cultures, **toutefois** des phénomènes de résistance sont apparus chez les insectes, puis l'apparition de troubles de la reproduction chez les oiseaux ont montré de façon spectaculaire les limites et les dangers pour l'environnement de leur utilisation sans discernement.

Les abeilles sont les premières victimes de ces insecticides. Le pollen est contaminé, et cela tue les abeilles ou bien touche leur système nerveux et elles ne sont plus en mesure de retrouver leur ruche.

Je suis en faveur d'une grande étude pour faire un bilan complet de l'impact des pesticides sur les écosystèmes. Seul 10 % du produit pesticide est absorbé par la plante. Le reste est absorbé par les sols. **Il est inacceptable de** constater que nos champs sont contaminés, et donc c'est tout l'écosystème qui est touché.

Il ne fait aucun doute que le gouvernement doit revenir sur sa décision.

	Accord	Désaccord	Nuance
Il est certes nécessaire de..., toutefois...			x
Il est inacceptable de...		x	
Il est exact que...			x
Je suis en faveur de...	x		
Je ne crois absolument pas		x	
Je suis en faveur de...	x		

Il apparaît...		x
Il ne fait aucun doute que...	x	
Je ne nie pas que..., néanmoins...		x
J'approuve sans réserve	x	

Activité 25, p.89

Je viens de lire vos réactions concernant la décision de la Finlande de supprimer l'écriture cursive. En tant qu'enseignant, j'aimerais moi aussi contribuer au débat :

Il va de soi que développer en parallèle les deux types d'apprentissage (manuscrite/clavier) de l'écriture devient une nécessité. La maîtrise des outils numériques en général s'intègre progressivement aux savoirs de base,.

Comme chacun sait, le geste graphique participe au développement de la motricité fine et au développement cérébral de l'enfant.

Il est encore trop tôt pour savoir si cela aura un impact sur l'organisation cérébrale, car nous ne disposons pas à l'heure actuelle de suffisamment de recul sur les technologies numériques et leur influence dans les apprentissages. Notre société essaie de ne pas trop exposer les enfants aux écrans, et avec ce changement, **il faut bien admettre que** cela renforcera la fréquentation des écrans par les enfants. **Il est incontestable que** la Finlande choisit une évolution culturelle vers le tout numérique.

Je suis convaincu que d'un point de vue socio-économique, généraliser de telles modalités d'enseignement supposerait que tous les enfants aient à leur disposition dans leur quotidien (et pas seulement à l'école) des outils numériques. Cela engendrerait, si on transposait cette situation en France, de grandes inégalités.

	Probabilité	Incertitude/doute
Je suis convaincu que...	x	
Il va de soi que...	x	
Il est probable que...	x	
Il est encore trop tôt pour...		x
Je doute que...		x
Il est peu probable...		x
Il est possible que...		x
Il faut bien admettre que...	x	
Il se peut que...		x
Il n'est pas certain...		x
Il faut se rendre à l'évidence que...	x	
Comme chacun sait...	x	
Il apparaît clairement...	x	
Il semble que...	x	
Il est incontestable que...	X	
C'est un fait que...	x	

Activité 26, p.90

a. **Je désapprouve** ce comportement qui favorise l'hypocondrie. **C'est inadmissible que** des charlatans fassent des diagnostics via des forums. **Je dénonce** ces agissements et je plaide pour un meilleur encadrement de la cyber médecine. **C'est incroyable que** certains malades arrivent à modifier leur traitement après avoir consulté le web !

b. Selon moi, Internet est une opportunité pour se soigner sans avoir recours à une consultation en cabinet. **Je suis favorable** au développement de sites d'autodiagnostic. **En effet**, il existe de très bonnes infos, utiles et cohérentes, qui peuvent éventuellement rassurer une personne ou au contraire lui faire prendre conscience qu'il y a un problème.

Je suis d'accord avec le développement de la médecine via Internet car cela permettra de minimiser la pénurie de médecins.

Activité 27 , p.90

1. **Je suis persuadé que** c'est très enrichissant de monter un jardin communautaire.
2. **Il apparaît clairement que** l'orthographe en France sert à se distinguer socialement.
3. **Selon moi**, les expériences universitaires et professionnelles à l'étranger sont indispensables sur un CV.
4. **Il va de soi que** l'économie collaborative va révolutionner notre économie.

Activité 28, p.91

1. g ; 2. b ; 3. h ; 4. a ; 5. e ; 6. f ; 7. c ; 8. d.

Compétences : maîtrise de l'anglais, des logiciels de gestion, master en numérique, connaissance juridique.

Qualités : facilité d'adaptation, capacité d'écoute, curieux, fédérateur.

S'ENTRAÎNER

Exercice 2, p.94

Proposition de lettre de candidature :

Monsieur le directeur,

Je souhaiterais intégrer le Master en économie et finances après de nombreuses années d'expériences professionnelles, c'est la raison pour laquelle, je vous soumets ma candidature.

J'ai travaillé, pendant 10 ans, dans une grande multinationale basée à Londres, et j'avais en charge le suivi administratif et commercial des ventes et des achats. J'ai, par ailleurs, assuré une veille permanente sur les marchés étrangers. J'ai une bonne connaissance du fonctionnement de l'entreprise et des multinationales.

Je suis bilingue français/anglais, j'ai une excellente connaissance du monde anglo-saxon et de son marché. J'ai une grande capacité d'adaptation, j'ai l'habitude des déplacements à l'étranger, et je travaille en contexte plurilingue depuis de nombreuses années. Je suis rigoureux. Mon profil est certes atypique mais je crois que mes années d'expériences professionnelles sont aussi un sésame et atout pour intégrer ce master. Ma connaissance du monde de l'entreprise est autant à valoriser qu'une licence en économie. De plus, cette formation est cohérente avec mon parcours professionnel.

Ce master en économie et gestion me permettrait de faire évoluer ma carrière car j'espère ensuite me tourner vers le monde de la finance et de l'analyse. C'est pourquoi je sollicite votre bienveillance et votre compréhension. Je souhaiterais consolider mes acquis professionnels grâce à une formation universitaire.

J'espère que vous retiendrez ma candidature et que je pourrais intégrer le master en économie et finances.

Je vous prie de recevoir, Monsieur le directeur, mes salutations distinguées.

Nombre de mots : 234.

Exercice 3, p.94

Proposition de lettre de réclamation :

Madame Miramond,

Nous venons d'arriver dans la maison que je viens de louer à Chatelaillon. Cette maison était censée pouvoir accueillir 10 personnes, être « les pieds dans l'eau, et tout confort. Or, rien n'est conforme à la description alléchante présente sur le contrat : nous sommes à 800 mètres de la mer, et il nous est nécessaire de traverser une route très empruntée pour aller à la plage.

Il n'y a pas assez de chambres ; la nuit de notre arrivée, deux personnes ont dormi dans le salon et deux autres ont réussi à trouver une chambre à l'hôtel. De plus, la maison est vétuste (robinetterie qui fuit, fenêtres qui ferment mal).

Je vous rappelle que j'ai signé un contrat avec une description précise, j'exige donc d'être relogé avec mes amis dans une maison comportant 5 chambres tout confort, et d'être remboursé pour les frais engagés pour la nuit d'hôtel.

Je vous mets en demeure d'accéder à cette demande légitime sous 24 h, sinon, je me verrai dans l'obligation d'avertir l'association des consommateurs, et si nécessaire, je ferai appel à un avocat pour obtenir non seulement un remboursement mais aussi un dédommagement car je vous rappelle que le fait de fournir des renseignements manifestement inexacts sur une location de vacances est passible de sanctions pénales.

Je vous prie d'agréer, Madame Miramond, l'expression de mes salutations distinguées.

Nombre de mots : 228.

Exercice 5, p.97

Proposition de corrigé :

70 ans de droit de vote pour les femmes, 8 mars journée de la femme, que de dates anniversaires pour rappeler que les femmes sont encore bien souvent victimes d'inégalités et de discriminations. Chers internautes, comme vous avez pu le comprendre, je souhaiterais réagir à cet anniversaire et vous faire part de la situation en France afin de confronter nos expériences et nos points de vue. En 2016, on sait que tous temps de travail confondus, les hommes gagnent 23,5 % de plus que les femmes. Pour moitié, cet écart s'explique par le fait que les femmes parviennent moins bien que les hommes à accéder aux postes de responsabilité, les mieux rémunérés – le fameux plafond de verre. Et ce n'est pas parce qu'elles sont moins diplômées ou compétentes. Souvent la maternité, le suivi d'un enfant en difficulté scolaire, malade ou

handicapé, les tâches domestiques qui leur incombent toujours davantage qu'à leur conjoint, tout cela freine leur promotion, parfois irrémédiablement.

Mais que faire ? C'est à nous, simples citoyens, de lutter contre les clichés et de faire avancer l'égalité hommes/femmes dans tous les domaines.

Un collectif « Jamais Sans Elles » vient d'être créé afin d'alerter à nouveau l'opinion publique afin que chacun de nous agisse au quotidien. Si nous voulons que les femmes aient leur place, il faut qu'hommes et femmes combattent ensemble car il s'agit d'un vrai combat.

Des hommes et des femmes de la société civile ont fondé l'observatoire pour l'égalité hommes/femmes pour être force de proposition et formuler des propositions concrètes. Il est nécessaire de voter des lois instaurant la parité dans les instances politiques, les conseils d'administration, les fédérations sportives, les médias. Ce n'est certes pas une solution optimale, mais ce sera déjà un premier pas vers l'égalité.

Je vous remercie d'avoir lu ma contribution, et je suis impatient de lire vos messages.

Nombre de mots : 304.

Exercice 6, p.97

Proposition de corrigé :

J'aimerais réagir à l'intervention de l'internaute précédent. Il est vrai que nous sommes face à une situation inquiétante et peut être encore un peu floue. Quelle place les robots vont-ils occuper ? Vont-ils nous remplacer ou bien nous aider ? Les robots menacent-ils nos emplois ?

Un rapport de l'OCDE sur la robotique prédit que 9 % des emplois dans le monde pourraient disparaître au profit de l'automatisation des tâches. Il faut se rappeler que la robotisation et la mécanisation est un mouvement qui a commencé depuis deux siècles environ. L'homme a toujours cherché à alléger son travail (dans l'agriculture par exemple). Aujourd'hui, on voit apparaître des voitures sans chauffeur, des drones qui effectuent des livraisons, des robots-infirmiers.

Il est vrai qu'il y a un fossé entre le laboratoire et la vie réelle. En outre, notre inquiétude légitime nous pousse à résister, et nous acceptons difficilement ces machines. Mais il est incontestable que les robots remplaceront les tâches les plus ingrates dans le secteur de l'industrie, mais pas seulement. Les robots ont commencé, par exemple, à remplacer les agents de sécurité pour certaines tâches : ils effectuent des rondes et signalent toute anomalie ou intrusion. L'agent n'est plus face à une situation dangereuse mais peut prendre la décision d'appeler la police. Le robot ne va pas donc pas se substituer à l'homme, ce serait plutôt une extension, un outil. Dans le cas du robot de surveillance, cela permet à l'agent de se focaliser sur des tâches plus valorisantes.

Ce changement va alors créer beaucoup plus d'autres emplois et des emplois beaucoup plus intéressants. Un emploi peut disparaître mais d'autres apparaissent.

L'homme est créatif et humain, le robot est fiable et plus endurant. Il faudrait réunir ces qualités et envisager l'avenir avec les robots.

Nombre de mots : 294.

SE PRÉPARER

Activité 1, p.104

1. Source : http://www.lesechos.fr. Date : 3 janvier 2016.
2. Restaurants - « Doggy bags » - Lutter contre le gaspillage (alimentaire) - Démocratiser cette pratique.
3. Des restaurants proposent aujourd'hui à leurs clients des « doggy bags » qui permettent à ces derniers d'apporter chez eux les aliments qu'ils n'ont pas terminé de consommer sur place. Cela permet de lutter contre le gaspillage. En France, on souhaite que cette pratique se démocratise.
4. Réponse libre.

Activité 2, p.105

1. La place des jeux vidéo dans la vie des ados : état des lieux.
2. Le document ne présente pas de solution mais dresse plutôt un état des lieux du problème, à savoir le temps consacré aux jeux vidéo et les effets sur la santé des adolescents. Quelques causes sont évoquées : non implication des parents, mal-être des adolescents.
3. **Usage problématique :** une utilisation qui pose des problèmes / suscite des inquiétudes.
Sont suréquipés : disposent chez eux de nombreux équipements informatiques.
Utilisation excessive : pratique déraisonnable / usage qui dépasse la norme.
Défaut de surveillance et de sollicitude parentale : les parents font preuve de trop peu de vigilance et d'attention envers leurs enfants.
4. Aujourd'hui, les jeunes consacrent trop de temps aux jeux vidéo, ce qui met leur santé en péril. Les parents ont une part de responsabilité car ils n'accordent pas toujours une attention suffisante à leurs enfants.

Activité 3, p.106

1. Réponse libre.
2. **a.** Vrai. - **b.** Faux. - **c.** Faux. - **d.** Vrai. - **e.** Faux.
3. La fermeture des petites boucheries de proximité.
4. Doit-on craindre la disparition prochaine des boucheries de proximité ?
La disparition des bouchers est-elle à craindre à l'avenir ?
Les boucheries de proximité risquent-elles de disparaître ?
5. Réponse libre.

Activité 4, p.107

1. – la grande distribution ;
– acheter dans des magasins bio / faire le marché ;
– les dépenses des ménages / le budget consacré à l'alimentation ;
– savoir différencier les produits sains des produits mauvais pour la santé ;
– les produits surgelés permettent de gagner du temps.
2. – les voyages forment la jeunesse ;
– l'apprentissage par l'expérience / empirique ;
– faire des rencontres ;
– développer la curiosité ;
– apprendre l'histoire en découvrant des lieux historiques, l'art en visitant des musées, etc. ;

– les expériences de vie marquent l'esprit / les apprentissages scolaires tendent à s'effacer avec le temps.

3. – prédominance des écrans dans les activités de loisirs des adolescents : jeux vidéo, ordinateurs, tablettes, téléphones portables / désintérêt pour la littérature ;

– manque de temps ;

– conséquences sur le niveau des adolescents en orthographe, voire sur le niveau de langue ;

– les contenus de lecture ont évolué : on lit des pages Facebook, des blogs, des SMS (au détriment des livres) ;

– pourtant, les contenus littéraires sont aujourd'hui plus accessibles et moins chers grâce aux livres électroniques.

4. – apprendre une langue / découvrir une culture, rencontrer des personnes d'horizons culturels divers ;

– pratiquer les langues en voyageant / découvrir le monde ;

– enrichissement intellectuel ;

– capacité d'adaptation ;

– incitation à la tolérance.

Activité 5, p.108

1. Affirmation : Manger sainement coûte cher

Aujourd'hui, la grande distribution occupe une place très importante dans la vie des consommateurs. En effet, faire ses courses au supermarché coûte moins cher qu'aller au marché. Ceci étant, les magasins bio proposent maintenant des produits sains à des prix raisonnables. Il est donc de plus en plus aisé de manger sainement à moindre coût.

2. Affirmation : Les enfants apprendraient plus en voyageant qu'à l'école

L'école apporte aux enfants des connaissances. Les voyages, quant à eux, permettent de découvrir en profondeur de nouvelles cultures, de comprendre l'histoire d'un pays et les modes de vie des populations. Ainsi, si tous les enfants pouvaient passer leur temps à voyager avec leurs parents, ils apprendraient plus qu'à l'école.

3. Affirmation : Les adolescents ne lisent plus

On entend souvent dire que les adolescents d'aujourd'hui ne lisent plus. Il faut pourtant reconnaître que les supports de lecture se multiplient : smartphones, tablettes, ordinateurs, etc. Bien que le livre n'ait plus une place prépondérante dans la vie des adolescents, la quantité de texte lu est donc plus importante que par le passé. Ce sont plutôt les contenus qui ont changé : les ados lisent moins de littérature et plus d'articles publiés sur les réseaux sociaux ou sur les blogs.

Activité 6, p.109

1. b. Il existe aussi de nombreuses manières de voyager à moindre coût.

c. Elle marque le passage de l'enfance à l'âge adulte, une phase de changement.

d. Une relation de dépendance s'est installée : on a le sentiment de ne plus pouvoir se déplacer sans son téléphone.

e. L'intérêt pour son métier et les relations avec les collègues sont devenus des priorités.

2.

Arguments	Exemples
La télévision est néfaste pour les enfants. Elle est source de divertissement et non d'apprentissage.	Les contenus des séries, des émissions de téléréalité et des publicités sont assez pauvres. Ils n'offrent rien d'intéressant pour l'esprit.
Les personnes âgées ont des connaissances et des savoir-faire qu'il faut préserver et transmettre. Sinon, les générations futures ne profiteront pas de cette richesse.	Certaines langues régionales, certaines recettes de cuisine, pourraient un jour disparaître.
La pratique d'une activité physique quotidienne est à la portée de tous. C'est une question de volonté.	Chacun peut faire l'effort de monter les escaliers au lieu de prendre l'ascenseur.
Prendre des vacances est indispensable pour être efficace au travail. Le repos est indispensable pour avoir une vie équilibrée.	De nombreuses études montrent que les employés qui ne partent pas assez en vacances sont moins productifs et moins créatifs que ceux qui posent régulièrement des congés.

3. Les arguments sont des informations de fond qui sont avancées pour justifier une thèse et convaincre le lecteur. Ils cherchent à démontrer le bien fondé de la thèse défendue.

L'exemple permet d'illustrer l'argument. Contrairement à l'argument – qui a une portée générale – l'exemple expose un cas particulier, un cas concret.

Activité 7, p.110

1. Rares sont les rencontres durables qui ont débuté par une prise de contact sur Internet.

2. L'article aborde le sujet des rencontres sur Internet : qui utilise les sites de rencontres ? Ce moyen est-il efficace ?

3. Les sites de rencontre sur Internet permettent-ils réellement de trouver la personne avec qui partager sa vie ou favorisent-ils seulement des rencontres éphémères ? L'utilisation des sites de rencontres est-elle une pratique courante? Est-elle assumée ?

4.

PARTIE I	PARTIE II
Titre : Les sites de rencontres : la solution pour trouver l'âme sœur ?	**Titre :** Qui sont les utilisateurs de ces sites et est-ce une pratique assumée ?
Argument : Les utilisateurs de sites de rencontres sont nombreux mais rares sont ceux qui trouvent la personne avec qui partager leur vie.	**Argument 1 :** On note une diversité de profils d'utilisateurs (origine socio-économique, âge, etc.), ce qui prouve qu'il s'agit d'une pratique qui s'est démocratisée. Cependant, cette pratique revêt encore une image négative.
Exemple : Seulement un couple sur dix est issu d'une rencontre *via* Internet.	**Exemple 1 :** De plus en plus d'utilisateurs sont des personnes qui cherchent à construire une nouvelle vie après une séparation.

Proposition d'exemple complémentaire : Les utilisateurs enjolivent parfois leur description, voire créent des profils fictifs. Des déceptions peuvent alors se produire lorsque la personne n'est pas celle que l'on imaginait.	Argument 2 : Cependant, cette pratique revêt encore une image négative. **Exemple 2 :** Beaucoup de gens éprouvent une gêne à dire qu'ils sont inscrits sur un site de rencontres. **Proposition d'exemple complémentaire :** Aujourd'hui, les sites et applications de rencontres éphémères se multiplient. Les profils des utilisateurs y sont très succincts et ne sont pas vérifiables.

Activité 8, p.112

Arguments importants :
– L'obésité est un phénomène qui prend de l'ampleur.
– Il y avait dans le passé plus de personnes en sous-poids que de personnes en surpoids. Aujourd'hui, la tendance s'est inversée.
– L'augmentation du nombre de personnes en surpoids est à la fois un phénomène lié aux pratiques alimentaires et aux gènes.
– Des disparités régionales sont à noter : l'obésité touche davantage certaines régions du monde que d'autres.
– Pour résoudre le problème, il faut à la fois agir au plan individuel (modifier et améliorer les habitudes alimentaires) et collectif (par la mise en place de politiques de santé publique).

Proposition de plan analytique :

PARTIE I : L'obésité dans le monde : état des lieux
Argument 1 : L'obésité est un phénomène qui prend de l'ampleur.
Exemple 1 : Si rien n'est fait, 20% des adultes souffriront d'obésité en 2025.
Argument 2 : Des disparités régionales sont à noter.
Exemple 2 : L'obésité touche davantage certaines régions du monde que d'autres : USA, Royaume-Uni, Australie, Canada, Irlande et Nouvelle-Zélande sont très touchés alors qu'au Japon, par exemple, la situation semble stable.

PARTIE II : Les causes du phénomène
Argument 1 : L'augmentation du nombre de personnes en surpoids est un phénomène lié aux pratiques alimentaires.
Exemple 1 : Les plats cuisinés contiennent souvent des ingrédients qui favorisent la prise de poids. Aujourd'hui, l'alimentation est souvent riche en graisses et en sucre.
Argument 2 : Les causes sont également génétiques.
Exemple 2 : De par leurs gènes, certaines personnes sont davantage prédisposées à souffrir d'obésité.

PARTIE III : Comment résoudre le problème ?
Argument 1 : Des politiques de santé publique doivent être mises en œuvre.
Exemple 1 : La mise en place d'actions de sensibilisation/ prévention (éducation alimentaire), de dispositifs de prise en charge.

Argument 2 : La modification des habitudes alimentaires et la lutte contre la sédentarisation.
Exemple 2 : Chacun peut à son niveau surveiller son alimentation quotidienne. La pratique d'une activité physique réduit également les risques.

Activité 9, p.114

Proposition de plan :

PARTIE I : La place des animaux domestiques dans le budget des foyers
PARTIE II : Des services de plus en plus innovants pour les maîtres et les animaux
PARTIE III : Le marché des animaux domestiques : doit-on y voir une forme d'incitation à consommer ?

Activité 10, p.115

1. b ; 2. a ; 3. d ; 4. c ; 5. e.

Activité 11, p.115

1. **a.** Le candidat introduit sa prise de parole par un constat : « Aujourd'hui, en France, on vit plus vieux qu'il y a 50 ans et les seniors sont en meilleure santé ». - **b.** Aujourd'hui, cependant, malgré - **c.** I. Le sentiment des seniors face au temps qui passe - II. Les préjugés au sujet des capacités physiques et intellectuelles des seniors.
2. Aujourd'hui, en France, **on vit plus vieux qu'il y a 50 ans** et les seniors sont en meilleure santé. **Cependant, les Français ne semblent pas accepter de vieillir.** C'est ce que nous explique l'auteur de l'article « Plutôt mourir que vieillir » publié dans le magazine *Tendances* du 14 mai 2016. **Malgré une qualité de vie qui augmente**, les plus de 50 ans vivent mal l'approche de la retraite. **Quel sentiment** éprouvent les seniors face au temps qui passe ? **Quels préjugés** perdurent au sujet des capacités physiques et intellectuelles des seniors ?

Activité 12, p.116

a. **Introduction 1**
Thème : la production et la vente de fruits et légumes
Problématique : producteurs et enseignes de grande distribution entretiennent une relation de dépendance
Plan : I. État des lieux de la situation.
II. Des solutions pour une relation plus équilibrée.
b. **Introduction 2**
Thème : les bienfaits du sport sur les performances intellectuelles.
Problématique : L'activité sportive permet-elle d'accroître les capacités du cerveau ?
Plan : I. Être plus efficace au travail grâce au sport.
II. Les dernières recherches/découvertes scientifiques sur le lien entre pratique sportive et performance intellectuelle.
c. **Introduction 3**
Thème : La place des nouvelles technologies dans les modes de vie actuels
Problématique : Les nouvelles technologies nous rendent-elles dépendants ?
Plan : I. La dépendance aux ordinateurs
II. Les atouts et inconvénients/risques des nouvelles technologies sur notre quotidien

Activité 13, p.116

1. Réponse libre, en fonction du plan défini.

2.

Arguments	Arguments opposés
Le contact des jeunes avec leurs parents fumeurs incite les jeunes à devenir eux-mêmes fumeurs.	Les jeunes sont aujourd'hui davantage influencés par leurs amis et par ce qu'ils voient à la télévision que par ce que font leurs parents.
Augmenter le prix des cigarettes est le meilleur moyen de diminuer le nombre de cancers du poumon.	Le prix n'est pas un argument déterminant. Le prix des cigarettes augmente toujours et le nombre de fumeurs reste stable, voire augmente.
Les enseignants sont les mieux placés pour sensibiliser les jeunes aux dangers de la cigarette.	L'école joue un rôle mineur dans la prévention du tabagisme du fait de la forte influence d'autres éléments extérieurs : les amis, les films, la télévision, les pratiques familiales.
Fumer près d'un non-fumeur, même dans un lieu public, est une forme d'irrespect.	Fumer dans un lieu public n'est pas plus irrespectueux que de consommer de l'alcool ou écouter de la musique.
Promouvoir davantage le sport permettra de diminuer le nombre de fumeurs.	Nombreux sont les fumeurs qui pratiquent du sport par ailleurs.

3. Réponse libre. Exemples d'arguments :
– Fumer est un choix personnel et nulle action politique ne peut remettre ce choix en question ;
– La prévention contre les risques du tabac devrait commencer à l'école primaire ;
– L'interdiction de fumer devrait être élargie à tous les lieux publics car ceux-ci sont potentiellement fréquentés par des enfants.

Activité 14, p.118

a. Je suis convaincu que sans une action rapide, l'avenir de la planète est menacé.
b. Je doute de l'efficacité des radars dans la réduction du nombre d'accidents de la route.
c. La lutte contre le réchauffement climatique est l'enjeu majeur du XXIe siècle. Cela ne fait aucun doute pour moi.
d. Il est indéniable que les nouvelles technologies rendent la vie plus simple.
e. Je pense que les gens qui lisent font moins de fautes d'orthographe.
f. Sans diplôme, il est impossible d'avoir un bon travail.

Activité 15, p.118

1.

	Sujet traité	Pour	Contre
a	Les pistes cyclables	x	
b	Les radars automatiques		x
c	La création d'espaces fumeurs dans les lycées		x
d	La présence de la police pour assurer la sécurité des collèges et lycées	x	
e	La semaine de 4 jours (école)		x

2. selon moi
c'est une aberration !
à mon avis
je trouve inadmissible de...
pour moi
je suis convaincu que...
il ne fait pas de doute que...
je suis certain que...

3. Réponse libre.

Activité 16, p.119

AVANTAGES ET INCONVÉNIENTS

1.

	SUJET TRAITÉ	AVANTAGES	INCONVÉNIENTS
a	La télévision	Elle permet de se tenir informé, d'apprendre. Elle est gratuite.	Elle détourne les jeunes de la lecture.
b	Les réseaux sociaux	Ils favorisent la création de liens.	Ils créent l'illusion d'une proximité.
c	Les agences de voyage	Elles permettent aux voyageurs peu expérimentés d'être guidés dans leurs choix.	Elles ne proposent pas toujours les meilleurs services et vendent parfois des services dont le client n'avait pas besoin.
d	La vie urbaine	L'accès à la culture, la proximité des services.	Le stress, le coût de la vie.
e	Les supermarchés	Gain de temps.	Manque de convivialité, par opposition au marché.

2. Réponse libre.
Exemples d'avantages et inconvénients :
Les livres numériques
Avantage : ils sont stockables par milliers dans une tablette.
Inconvénient: leurs auteurs ne sont pas toujours rémunérés justement (piratage).

Le CD cède sa place au téléchargement légal sur Internet
Avantage : il permet un accès beaucoup plus large à la diversité du marché musical.
Inconvénient : le plaisir de l'objet disparaît.

L'apprentissage à distance : étudier *via* Internet
Avantage : Les cours en ligne sont une formule souple. Ils permettent à l'étudiant de travailler à son rythme et aux horaires qu'il souhaite et depuis l'endroit de son choix (maison, lieu de travail, etc.).
Inconvénient : Le contact humain (avec un enseignant notamment) peut faire défaut. Ainsi, en général, les échanges professeur-étudiant ne se font pas en temps réel.

Les enfants utilisent des tablettes et téléphones portables
Avantage : il est rassurant pour un parent de pouvoir joindre son enfant à tout moment.
Inconvénient : les enfants passent parfois trop de temps

sur les écrans, au détriment d'autres activités (de plein air ou de lecture par exemple).

Le courriel a remplacé le courrier postal

Avantage : on communique aujourd'hui beaucoup plus (quantité de courriels envoyés), plus facilement et pour moins cher (pas de coût d'affranchissement).

Inconvénient : le courriel a rendu les échanges plus éphémères : on lit, on supprime.

Activité 17, p.120

Arguments importants :

Depuis plusieurs années, on constate que la presse écrite décline au profit de la télévision et des informations diffusées *via* Internet. Les raisons sont multiples.

Tout d'abord, les journaux papier sont payants et par conséquent ne sont pas accessibles à tous. La télévision, elle, est présente aujourd'hui dans tous les foyers, de même qu'Internet. Leur prix est abordable.

Deuxièmement, les lecteurs manquent de temps. **Par conséquent**, il est plus rapide d'allumer quelques minutes une chaîne d'information en continu que de lire le journal.

Par ailleurs, Internet constitue une source inépuisable d'informations. **En ce sens**, il est un support d'informations plus riche que tout autre support. **En revanche**, on y trouve parfois des informations erronées. Il est donc important de savoir sélectionner l'information et prendre du recul par rapport à ce que l'on trouve sur Internet.

Cependant, les journaux présentent l'avantage de fournir uniquement l'information que le lecteur recherche, **alors qu'**Internet lui impose une quantité importante de publicité. On peut **donc** dire que la diffusion de l'information évolue. Elle est aujourd'hui largement accessible et la plupart du temps gratuite. Il revient au lecteur – qui est en fait consommateur d'informations – d'être suffisamment lucide pour ne pas subir le flux d'informations qui arrive à lui.

Activité 18, p.120

En conclusion, nous pouvons dire que les rythmes scolaires mériteraient d'être repensés. La réussite des enfants ne dépend pas seulement du temps qu'ils passent dans la salle de classe. La comparaison des systèmes scolaires européens **le prouve**. Un équilibre entre activités scolaires et activités sportives et culturelles doit être trouvé. **On peut cependant s'interroger sur** la volonté des Français de remettre en question leur vision du système.

Activité 19, p.121

Réponses libres.

Activité 20, p.122

a. Pour réussir au travail, il faut se sentir bien dans sa vie personnelle.

b. Avoir une alimentation saine coûte cher et n'est donc pas à la portée de tous.

c. L'adolescence est un moment charnière où la personne adulte se constitue.

d. Une année sabbatique est un moment de vie où l'individu peut se recentrer. Cela procure un bien-être certain.

e. La santé économique d'un pays passe avant tout par sa capacité à attirer des touristes.

Activité 21, p.123

a. 1. Internet permet de tisser des liens entre un nombre infini d'individus.

2. Le candidat pense que cela n'est qu'une illusion.

3. C'est ce que beaucoup de gens pensent. Mais il n'en est rien. / Je ne partage pas votre point de vue. / Pas du tout ! Bien au contraire.

4. Je ne suis pas d'accord, absolument pas, ce n'est pas vrai, je pense au contraire que, etc.

Activité 22, p.123

Réponses libres.

S'ENTRAÎNER

Exercice 2, p.126

1.

Mots et expressions clés	Problematique
Vivre sur un bateau	Vivre sur un bateau est un style de vie que certains voient comme un fantasme. D'autres ont fait le choix d'en faire une réalité qui va à l'encontre de la vie sédentaire. Quels sont les avantages et les contraintes de ce mode de vie ?
Fantasme / réalité	
Contraintes	
Sédentarité	
Style de vie	

2.

I. Vivre sur un bateau : un choix de vie qui présente des avantages
Argument : La vie sur un bateau permet d'avoir un mode de vie non sédentaire et de lutter ainsi contre la monotonie.
Exemple : Il est aisé de changer de lieu de vie. Nul besoin de déménager.

II. Des contraintes à prendre en compte
Argument(s) : Le coût financier de ce mode de vie n'est pas négligeable.
Exemple(s) : Le montant annuel des loyers est de 1000 à 3 000 euros.
Argument(s) : Vivre sur un bateau nécessite un apprentissage préalable.
Exemple(s) : Un permis est requis pour naviguer, ce qui représente une contrainte supplémentaire.

3. Réponse libre.

4. **Proposition de corrigé :**

Introduction :

D'après cet article, mis en ligne sur le site www.bienchez soi.net le 2 novembre 2015, de plus en plus de gens font le choix de vivre sur un bateau. Alors que la vie sur l'eau renvoie plus à un fantasme, certains en font une réalité, un véritable mode de vie. Qu'implique ce choix de vie non sédentaire ? Permet-il de se sentir totalement libre ou présente-t-il également des inconvénients ? Nous verrons dans un premier temps quels avantages peut présenter ce mode de vie singulier. Dans une seconde partie, nous en analyserons les contraintes.

Conclusion :

Je pense donc que la vie sur l'eau présente plus d'avantages que de contraintes. Une fois remplies les quelques conditions requises pour vivre sur un bateau et naviguer, ce mode de vie est une alternative idéale. En combinant lieu de résidence et moyen de transport, le bateau permet par ailleurs de briser la monotonie du quotidien. Cependant, faire ce choix coûte cher et n'est donc pas à la portée de tous.

Exercice 3, p.129

1. **adoption/adopter** : accueillir un animal (sans transaction financière).

hausse spectaculaire : augmentation/accroissement très important.

pouvoir d'achat : capacité d'achat de biens et de services.

assouvir son rêve : réaliser/concrétiser son rêve, transformer son rêve en réalité.

valeur refuge : un investissement sûr/rassurant.

réconfort : apaisement, tendresse.

contrainte : une obligation, une gêne, un frein.

2. **a.** Le nombre d'adoptions augmente.

b. Les gens adoptent davantage alors que leur pouvoir d'achat n'augmente pas ou augmente peu.

c. « Quand une personne a pris la décision d'accueillir un animal, elle est capable de se serrer la ceinture sur d'autres postes de dépenses pour assouvir son rêve. »

Les adoptants sont prêts à sacrifier certaines dépenses pour réaliser leur rêve d'adoption.

« En période de crise, l'animal a une valeur refuge encore plus forte ».

Alors que la situation économique n'est pas favorable, les animaux domestiques jouent un rôle de compensation. Ils apportent un réconfort bénéfique.

3. Réponse libre.

Exercice 5, p.132

Réponses libres.

Exercice 6, p.133

Réponse libre.

ÉPREUVE BLANCHE 1 OPTION TOUT PUBLIC

Compréhension de l'oral

Dans les épreuves de compréhension écrite et orale, l'orthographe et la syntaxe ne sont pas prises en compte, sauf si elles altèrent gravement la compréhension. Le correcteur acceptera les réponses données ci-dessous et toute reformulation ou réponse cohérente avec la question posée.

Exercice 1, p.138

1. Les pratiques de vente et de consommation en période de soldes.

2. Réponses acceptées : ils subissent un calendrier qui leur est imposé / l'influence des vitrines, des publicités.

3. *La tyrannie consommatrice.*

4. Il dépeint le profil du consommateur d'aujourd'hui.

5. Proportion de la population de consommateurs : 4 à 6 %. Nombre de consommateurs concernés : environ 2 millions.

6. Lutter en faveur de pratiques tarifaires justes pour le consommateur.

7. Les fraudes tarifaires sont des pratiques souvent constatées.

8. Il renvoie au fait que, dans un magasin, les articles ne sont pas positionnés de façon aléatoire. L'utilisation de l'espace vise à influencer les comportements d'achat.

9. Très souvent, le coût de fabrication d'un T-shirt vendu 20 euros ne dépasse pas 1 euro.

10. De faible qualité et bon marché.

11. Le client doit renouveler ses achats plus régulièrement.

12. L'achat de produits bon marché.

13. Déterminé.

Exercice 2, p.140

1. Elle marque les esprits, de façon positive ou négative.

2. 12 millions.

3. Quand elle véhicule un message d'échec sans fournir d'explication.

4. La suppression des notes.

5. Ils y accordent de l'importance.

6. On ne sait pas si la satisfaction est due au fait que la bonne note récompense un effort ou si elle est due à la simple obtention d'une note élevée.

7. Elle devrait guider l'élève dans ses apprentissages.

Compréhension des écrits

Exercice 1, p.141

1. Présente les bienfaits du rire pour les entreprises et leurs salariés.

2. **a. Faux. Justification** : « Pas facile de s'y retrouver dans la multitude de prestataires qui [...] ont fait du rire leur profession ».

b. Faux. Justification : « Des poids lourds pour la plupart du CAC 40 ».

3. Deux réponses parmi : le bien-être, la détente, l'épanouissement (0,5 point par bonne réponse).

4. D'augmenter le rendement des salariés au travail.

5. Les formateurs en thérapie du rire utilisent une méthode qui consiste à faire produire aux participants du rire de façon artificielle, mécanique, simulée.

6. **Vrai. Justification** : « Rire permet aux participants de tenir sur la durée » ou « Le rire aurait donc un effet énergisant ».

7. Pour tirer des bénéfices du « yoga du rire », il ne faut pas se prendre trop au sérieux.

8. Dans des contextes de malaise social.

9. La thérapie du rire n'est pas en mesure de solutionner des problèmes profonds liés au fonctionnement d'une entreprise.

Exercice 2, p.144

1. L'influence des géants d'Internet sur les relations entre les personnes.

2. Ces sociétés ont la volonté de transformer la vie des gens, d'influer sur leur quotidien.

3. **a. Vrai. Justification** : « Et l'alpha et l'oméga de cette idéologie, c'est Internet, considéré à la fois comme moteur du changement et objectif ultime ».

b. Vrai. Justification :

« Et le boss du réseau social de répéter comme un mantra la mission qui est la sienne : "Bring people together" ("rassembler les gens") ».

4. Deux éléments tirés du passage : « cette mère en Inde qui va réussir à nourrir sa famille, ce père aux États-Unis qui veut lutter contre le réchauffement climatique, cette fille en Sierra Leone qui va pouvoir accéder aux soins, ou encore ce fils en Syrie qui va tout faire pour s'en sortir ».

5. L'objectif est de rapprocher les êtres humains plutôt que de les séparer.

6. En matière d'accès à l'information.

7. Il s'agit des sociétés multinationales dans le domaine des technologies de pointe qui dominent le marché (d'où le terme « gourous ») et sont basées pour la plupart en Californie (dans la « Silicon Valley »).

8. Détermination.

Production écrite

Proposition de corrigé :

Monsieur le Maire,

Je me permets de vous solliciter au nom de l'association « Quartier calme », que je préside.

Je souhaite vous exprimer mon vif mécontentement. En effet, depuis déjà plusieurs semaines, le nouveau centre culturel municipal attire des jeunes dont le comportement engendre des tensions.

Par dizaines, chaque soir, de nombreux jeunes – entre 20 et 30 selon les habitants du quartier – garent leurs scooters et voitures sur le parking et y restent ainsi pendant des heures, souvent jusqu'à 1 h voire 2 h du matin. Les nuisances sonores provoquées – cris, bruits de bouteilles, musique – dépassent largement le seuil de tolérance et insupportent les riverains. Les personnes âgées notamment, de même que les familles ayant des enfants en bas âge ne peuvent plus endurer cette situation.

Afin de contrôler ce phénomène et éviter que le mécontentement collectif ne prenne de l'ampleur, je souhaite vous faire part de plusieurs propositions. Tout d'abord, il pourrait être utile d'apposer à l'entrée du centre culturel un panneau rappelant qu'après 21 h le calme doit être respecté aux abords du lieu. Ensuite, il me semblerait pertinent de limiter l'accès au parking aux personnes munies d'une place de spectacle. Une autre option serait de recruter des animateurs socioculturels en soirée. La présence de personnel d'animation les mercredis et weekends, en journée, ne me semble en effet pas suffisante. Ces animateurs joueraient incontestablement un rôle très précieux de dialogue avec les jeunes. Enfin, une intervention auprès du proviseur du lycée Montaigne – d'où sont issus la grande majorité des intéressés – pourrait permettre qu'un rappel à l'ordre formel leur soit adressé.

Ainsi, au nom de l'association « Quartier calme », je me permets de vous demander, en tant que garant de la tranquillité publique dans la commune, d'intervenir afin qu'une solution puisse être trouvée.

Je me tiens à votre entière disposition pour échanger de vive voix sur ce problème et vous prie d'agréer, Monsieur le Maire, l'expression de mes salutations distinguées.

Signature

(322 mots)

Production et interaction orales

Sujet 1, p.148

Dégager le problème soulevé et présenter son opinion de manière claire et argumentée

– Vous introduisez votre prise de parole en mentionnant la source du document et son titre.

– Vous indiquez le thème du document et formulez une problématique.

Exemple : Ce document traite des bénéfices que peut apporter chez l'enfant la lecture avant le sommeil. Elle aurait en effet des effets multiples sur la construction et le fonctionnement de son cerveau.

– Vous exposez des arguments de façon structurée, en les accompagnant d'exemples :

• Les enfants à qui les parents lisent des histoires avant de dormir sont souvent plus créatifs.

• La lecture avant le sommeil permet aux enfants de se détendre et donc de mieux profiter de la nuit (pendant laquelle le cerveau travaille également).

• L'apprentissage et l'enrichissement du vocabulaire de l'enfant passe entre autres par la lecture.

• Lorsque l'enfant écoute une histoire, il doit faire un effort de concentration qu'il pourra reproduire à l'école.

Questions possibles de l'examinateur

– Ne pensez-vous pas que les soirées sont des moments de repos pendant lesquels l'enfant devrait plutôt jouer ?

– Selon vous, pourquoi la lecture avant le sommeil, a-t-elle un impact sur les résultats scolaires ?

– N'y a-t-il pas d'autres moyens de stimuler la créativité de l'enfant ?

Sujet 2, p.148

Dégager le problème soulevé et présenter son opinion de manière claire et argumentée

– Vous introduisez votre prise de parole en mentionnant la source du document et son titre.

– Vous indiquez le thème du document et formulez une problématique.

Exemple : Ce document traite de l'évolution de la pratique du tatouage et de sa perception dans la société.

– Vous exposez des arguments de façon structurée, en les accompagnant d'exemples :

• Le tatouage est aujourd'hui une pratique courante.

• Les raisons de se tatouer sont multiples et ne véhiculent plus seulement un message de rébellion (comme cela pouvait être le cas dans le passé).

• Le tatouage permet de marquer une identité, d'afficher des valeurs.

• On observe une démocratisation du tatouage : il est pratiqué à tous âges (parfois dès l'adolescence) et par toutes les catégories socio-professionnelles. L'image du motard tatoué tend à être dépassée.

Questions possibles de l'examinateur

– Pensez-vous que le tatouage est une mode ancrée dans une époque qui sera un jour obsolète ?

– Selon vous, le tatouage présente-t-il des dangers ?

– A-t-on besoin d'un tatouage pour exprimer des valeurs ?

ÉPREUVE BLANCHE 2
OPTION PROFESSIONNELLE

Compréhension de l'oral

Dans les épreuves de compréhension écrite et orale, l'orthographe et la syntaxe ne sont pas prises en compte, sauf si elles altèrent gravement la compréhension. Le correcteur acceptera les réponses données ci-dessous et toute reformulation ou réponse cohérente avec la question posée.

Exercice 1, p.149

1. **b.** Un reportage.
2. **b.** Anciela, incubateur lyonnais d'engagements citoyens.
3. **d.** Président et fondateur d'Anciela.
4. **a.** Susciter et accompagner les engagements citoyens, **c.** Accompagner des initiatives citoyennes.
5. En 2005.
6. 17 ans.
7. **b.** Création d'un petit journal, **c. et e.** organisation d'ateliers et d'événements.
8. En 2012, l'association s'est développée en recrutant la première personne salariée à temps plein.
9. Aujourd'hui, 80 bénévoles sont engagés dans l'association (dont 10 très engagés).
10. **a.** Alimentation, **d.** santé et **f.** déchets.
11. **b.** Rechercher du sens et **c.** créer du lien social.
12. Recycler/ Faire du neuf avec du vieux à partir de méthodes artisanales qui viennent d'autres pays (d'ailleurs).

Exercice 2, p.151

1. **b.** était au plus haut de son succès.
2. **a.** risque de disparaître.
3. **b.** ne proposera plus de téléviseurs 3D.
4. **a.** Vrai.
5. **a.** est peut-être arrivée au mauvais moment sur le marché.
6. L'ultra haute définition car elle offre une très bonne qualité d'image qui donne une impression de relief, profondeur comme la 3D.
7. **b.** Faux.

Compréhension des écrits

Exercice 1, p.152

1. **c.** présente la réussite de projets interdisciplinaires dans un collège avant la réforme les rendant obligatoires.
2. L'enseignement interdisciplinaire établit des liens entre les disciplines scolaires en vue de permettre aux élèves d'acquérir des connaissances et compétences dans le cadre de projets ou d'ateliers pratiques. Les cours par discipline sont décloisonnés. Les enseignants de différentes disciplines travaillent ensemble et les élèves sont amenés à participer à des projets ou ateliers pratiques mêlant plusieurs disciplines, et en dehors des emplois du temps habituels. Ce type d'enseignement permet notamment aux élèves de mieux retenir et mettre en application leurs connaissances.
3. Le projet « Raconte ta ville » où les élèves réalisent un webdocumentaire avec des enseignants de plusieurs disciplines.
4. **b.** une semaine trois fois par an.
5. Les élèves font le lien entre les disciplines.

– Ils « *voient de la cohérence, les apprentissages font sens. Les acquis sont considérables.* ».
– « *Les projets interdisciplinaires amènent les bons élèves à s'améliorer encore et impliquent les plus fragiles, en faisant appel à des compétences manuelles, techniques, informatiques, et pas seulement au savoir classique* ».
– « *c'est largement grâce à ce travail que le collège Stalingrad est passé, en trois ans, de 70 à 93 % de réussite au diplôme national du brevet, avec 55 % de mentions* ».
6. Les enseignements interdisciplinaires sont perçus comme un « *appauvrissement des matières et de la liberté pédagogique de chacun* ».
7. **a.** VRAI « *C'est largement grâce à ce travail que le collège Stalingrad est passé, en trois ans, de 70 à 93 % de réussite au diplôme national du brevet, avec 55 % de mentions* ».
b. VRAI « *Les profs du collège Stallingrad, eux, n'ont pas besoin d'être convaincus de leurs bienfaits. Pourtant leur généralisation et leur caractère désormais obligatoire les inquiètent* ».
8. Les élèves développent des « *compétences manuelles, techniques, informatiques, et pas seulement au savoir classique.* »
9. **c.** Les emplois du temps habituels sont modifiés.

Exercice 2, p.154

1. **b.** Dénoncer les impacts sanitaires sur l'environnement des pesticides néonicotinoïdes afin de faire interdire leur utilisation.
2. Les produits conçus pour détruire les insectes dits nuisibles s'infiltrent dans le sol intoxiquant la terre mais ils sont également nocifs pour la santé humaine.
3. près de 40 % du marché des insecticides.
4. **a.** FAUX « *mais le sujet santé-environnement reste le parent pauvre de l'action publique. Plusieurs dizaines de milliards d'euros par an sont consacrés à la santé, mais les actions de prévention n'en représentent que 2,3 %, une part dérisoire* ».
b. FAUX « *les sénateurs ont voté contre l'interdiction des pesticides néonicotinoïdes, pourtant bien connus pour leur dangerosité* ».
c. VRAI « *La valeur économique de l'activité pollinisatrice des insectes est estimée par l'INRA [Institut national de la recherche agronomique] à 153 milliards d'euros, soit 9,5 % en valeur de l'ensemble de la production alimentaire mondiale.* ».
5. Nicolas Hulot encourage à « *parier sur la biodiversité, investir dans une agriculture saine qui se rend service à elle-même* », et investir dans la recherche de solutions alternatives efficaces comme celles mises en œuvre dans d'autres pays.
6. « *Mesdames et messieurs les Parlementaires* ».
7. **b.** Ces pesticides sont toxiques, **c.** Ces produits détruisent la biodiversité.
8. **b.** Injonctif.

Production écrite

Proposition de corrigé :
Nom Prénom de l'expéditeur
Adresse
Code postal Ville

Monsieur le Directeur
École (nom de l'école)
Adresse
Code postal Ville

À (ville), le (date),

Objet : Lettre de réclamation de parents d'élèves concernant la qualité des repas à la cantine

M. Le Directeur/Mme la Directrice de l'école,
Mon fils / ma fille _____ (Indiquez le nom et prénom de l'enfant) déjeune tous les jours à la cantine de l'école _____ (Indiquez le nom de l'école) depuis septembre 2015.
Habituellement, mon fils/ma fille n'est pas difficile mais il/elle se plaint très fréquemment du mauvais goût des aliments qui lui sont servis à la cantine. Par exemple, il/elle m'a signalé que la viande était trop cuite, les fruits insipides et le poisson pas frais.
En outre, je trouve que l'équilibre nutritionnel n'est pas bien respecté, alors qu'il est essentiel pour des enfants en pleine croissance. En effet, les menus ne proposent pas une alimentation variée et équilibrée. Par exemple, la semaine du (date) au (date), les plats proposés comprenaient trop de féculents et pas assez de légumes.
Je suggère de proposer à nos enfants une alimentation plus variée et équilibrée, basée sur des produits de qualité (de l'agriculture biologique de préférence) et de saison. Il est primordial que la qualité gustative et nutritionnelle de la nourriture servie aux enfants à la cantine s'améliore afin de leur assurer une bonne santé. Les pouvoirs publics font d'ailleurs actuellement d'importantes campagnes de sensibilisation en ce sens.
Par avance, je vous sais gré de toutes les actions que vous pourrez mener pour améliorer la qualité de la nourriture de la cantine.
En vous remerciant pour l'attention que vous voudrez bien accorder à mon courrier, et dans l'attente d'une réponse de votre part, je vous prie d'agréer, Monsieur le Directeur/ Madame la Directrice, l'expression de ma haute considération.

Signature

Production et interaction orales

Sujet 1, p.159

Dégager le problème soulevé et présenter son opinion de manière claire et argumentée.
– Vous introduisez votre prise de parole en mentionnant la source du document et son titre.
– Vous indiquez le thème du document et formulez une problématique.

Exemple : Ce document traite des caractéristiques, des avantages et des risques d'un emploi étudiant.
– Vous exposez des arguments de façon structurée en les accompagnant d'exemples :
• De nombreux étudiants travaillent en France pour financer leurs études.
• Le travail étudiant est facilité par des mesures mises en place par le gouvernement français en 2016.
• Le travail étudiant permet d'acquérir une première expérience professionnelle, des compétences et une connaissance du monde professionnel

• Toutefois, un travail étudiant trop prenant peut entraîner des absences en cours, et un échec aux examens.
• Pour pouvoir concilier ses études et son travail, un étudiant doit bien choisir son job étudiant : « un travail flexible, occasionnel, temporaire », un travail en lien avec le domaine d'étude étant l'idéal. L'étudiant peut également choisir un emploi qui lui permet d'étudier (par exemple, baby-sitting le soir lorsque les enfants dorment, travailler dans une bibliothèque, etc.).

Questions possibles de l'examinateur :
– Pensez-vous que les contrats des emplois étudiant doivent comprendre des dispositions spécifiques au niveau de la législation ? Lesquelles ?
– Quels conseils donneriez-vous à un étudiant pour concilier au mieux ses études et son travail étudiant ?
– Selon vous, quelles sont les activités rémunérées compatibles avec les études ?

Sujet 2, p.159

Dégager le problème soulevé et présenter son opinion de manière claire et argumentée.
– Vous introduisez votre prise de parole en mentionnant la source du document et son titre.
– Vous indiquez le thème du document et formulez une problématique.

Exemple : Ce document traite de la méditation comme moyen pour se déconnecter des Smartphones et des réseaux sociaux.
– Vous exposez des arguments de façon structurée, en les accompagnant d'exemples :
• Les Smartphones et les réseaux sociaux envahissent notre quotidien.
• La dépendance aux Smartphones nous amène à oublier de profiter du moment présent, des personnes qui nous entourent.
• Les Smartphones nous distraient, nous font souvent perdre du temps inutilement, ce qui peut entraîner une baisse de la concentration.
• Il faut apprendre à utiliser les nouvelles technologies à bon escient en privilégiant la qualité plutôt que la quantité, et être capable de se déconnecter et se ressourcer.
• En prenant conscience de cette addiction, il est possible de se déconnecter par différents moyens : pratiquer un sport, se concentrer sur des activités sociales, culturelles ou manuelles, éloigner son Smartphone lorsque l'on est entouré de proches, ou l'éteindre temporairement, partir en vacances ou en week-end sans écrans.
• La méditation peut être un moyen de se concentrer sur soi, et de prendre conscience du moment présent, et d'aider à se libérer de cette addiction.

Questions possibles de l'examinateur :
– Pourriez-vous donner des exemples de situations où les frontières entre monde réel et virtuel s'effacent ?
– Selon vous, quels sont les impacts de l'utilisation du Smartphone le réveil au matin, ou juste avant de dormir ?
– Comment aider les enfants à ne pas devenir accro aux écrans ?
– Quelles activités proposeriez-vous en alternative aux écrans ?